D0773987

EXERCICES PRATIQUES DE STYLE

J. BOSSÉ-ANDRIEU

2008

Presses de l'Université du Québec
Le Delta I, 2875, boul. Laurier, bur. 450
Québec (Québec) Canada G1V 2M2

Données de catalogage avant publication (Canada)

Bossé-Andrieu J. (Jacqueline), 1940-

Exercices pratiques de style

Destiné aux étudiants en traduction et aux futurs rédacteurs. – Av.-pr.
Fait suite à: Exercices pratiques de français.
Comprend des réf. bibliogr.

ISBN 2-7605-0507-3

1. Français (Langue) – Composition et exercices. 2. Français (Langue) – Grammaire – Problèmes et exercices. 3. Français (Langue) – Syntaxe – Problèmes et exercices. I. Titre.

PC2420.B59 1990 448.1'076 C90-004999-5

Nous reconnaissons l'aide financière du gouvernement du Canada
par l'entremise du Programme d'aide au développement
de l'industrie de l'édition (PADIE) pour nos activités d'édition.

1 2 3 4 5 6 7 8 9 PUQ 2008 9 **8** 7 6 5 4 3 2 1

Dépôt légal – 1er trimestre 1990
Bibliothèque nationale du Québec / Bibliothèque nationale du Canada
Imprimé au Canada

EXERCICES PRATIQUES DE STYLE

PRESSES DE L'UNIVERSITÉ DU QUÉBEC
Le Delta I, 2875, boulevard Laurier, bureau 450
Québec (Québec) G1V 2M2
Téléphone : (418) 657-4399 • Télécopieur : (418) 657-2096
Courriel : puq@puq.ca • Internet : www.puq.ca

Distribution :

CANADA et autres pays

PROLOGUE INC.
1650, boulevard Lionel-Bertrand
Boisbriand (Québec) J7H 1N7
Téléphone : (450) 434-0306 / 1 800 363-2864

FRANCE
AFPU-DIFFUSION
SODIS

BELGIQUE
PATRIMOINE SPRL
168, rue du Noyer
1030 Bruxelles
Belgique

SUISSE
SERVIDIS SA
5, rue des Chaudronniers
CH-1211 Genève 3
Suisse

AVANT-PROPOS

Le présent recueil, qui fait suite aux *Exercices pratiques de français* de la même auteure, contient une variété d'exercices destinés non seulement aux étudiants qui se préparent à devenir traducteurs ou rédacteurs, mais aussi à tous ceux qui désirent perfectionner leur expression écrite en s'exerçant à recourir aux différentes ressources de la langue et à utiliser divers procédés stylistiques.

Cet ouvrage contient une centaine d'exercices axés sur des points de style déterminés et regroupés en six grandes catégories :

1) exercices illustrant les nuances sémantiques ou stylistiques qu'entraîne l'emploi d'une construction plutôt que d'une autre ;

2) exercices d'enrichissement lexical ;

3) exercices donnant les moyens d'éviter répétitions et tours rebattus ou d'exprimer la même idée de façons différentes ;

4) exercices sur la concision, la logique et la clarté de l'expression ainsi que sur l'emploi, dans un texte donné, de structures de phrases variées ;

5) exercices qui présentent quelques notions de la langue administrative, que tout rédacteur ou traducteur est appelé à employer ;

6) travaux variés permettant de passer d'un style à un autre, d'un registre à un autre, etc.

Les *Exercices pratiques de style* s'adressent donc à des francophones qui, connaissant déjà le « code » (grammaire, orthographe, syntaxe), veulent améliorer leur compétence lexicale et syntaxique ; ils les habitueront à choisir les mots ou les tours qui traduisent avec justesse, précision et concision les idées à communiquer. Constitué de phrases ou de textes rédigés en français correct et courant mais susceptibles de transformation ou d'amélioration, ce manuel donne aux futurs rédacteurs et traducteurs des moyens concrets et pratiques de retravailler leurs textes.

Nous proposons en effet un certain nombre de procédés (que certains appelleront « recettes ») et d'exercices qui, dans la mesure où ils permettent l'exploration systématique des différentes ressources de la langue, sont comparables à des « gammes ». Il est cependant évident que, dans un cours de rédaction, de nombreux exercices devront être précédés d'explications fournies par le professeur. En outre, l'utilisation du présent recueil devrait être accompagnée, d'une part, d'un enseignement théorique (à l'heure actuelle, les ouvrages portant sur les techniques d'expression ne manquent pas) et, d'autre part, de travaux de rédaction donnant l'occasion de mettre en œuvre les notions théoriques et pratiques étudiées. Ajoutons qu'il va de soi que les exercices suggérés ne seront pas nécessairement exploités dans l'ordre où ils sont ici présentés. Chaque utilisateur choisira ceux de la série correspondant le mieux, à un moment donné, aux points de style à illustrer.

La plupart des exercices proposés ont été expérimentés par des moniteurs-réviseurs — et leurs stagiaires — du Bureau des traductions du gouvernement fédéral (section Formation) ainsi que par des professeurs et des étudiants de l'École de traducteurs et d'interprètes de l'Université d'Ottawa ; nous désirons remercier ici tous ceux qui nous ont fourni conseils et suggestions, en particulier Mmes M. Hardy et C. Klein-Lataud ainsi que MM. Morghèse, Bouchou et Vallancourt, qui nous ont encouragée à publier ce recueil. Nous remercions également les éditeurs et les journaux qui nous ont autorisée à reproduire leurs textes. Par ailleurs, c'est avec reconnaissance que nous accueillerons les commentaires qui nous permettront d'améliorer cet ouvrage.

TABLE DES MATIÈRES

PREMIÈRE PARTIE

GRAMMAIRE ET SENS

EXERCICE I.1

L'ARTICLE (1)

Expliquez la différence entre les locutions données et employez chacune d'elles dans une courte phrase montrant la construction syntaxique qu'elle exige :

1) avoir droit / avoir le droit

2) avoir foi / avoir la foi

3) demander grâce / demander une grâce

4) demander raison / demander la raison

5 a) donner congé / donner un congé
b) prendre congé / prendre un congé

6) être à table / être à la table

7) faire appel / faire l'appel

8) faire école / faire l'école

9) faire fête / faire la fête

10) faire honneur / faire l'honneur / faire les honneurs

11) faire scandale / faire du scandale

12) mettre à jour / mettre au jour

13) prendre garde / prendre la garde

14) rendre justice / rendre la justice

15) tenir maison / tenir la maison

EXERCICE I.2

L'ARTICLE (2)

A. Précisez la nuance apportée par l'emploi de l'article défini, indéfini ou partitif :

1) Il a un cancer / le cancer.

___

___

2) Il a la fièvre / de la fièvre / une fièvre !

___

___

3) Va chercher le pain / du pain.

___

___

4) Avez-vous lu *Les Fous de Bassan*, roman / un roman / le roman d'Anne Hébert ?

___

___

B. Précisez l'effet produit par la présence ou l'absence d'article.

5) Il est directeur / il est le directeur.

___

___

6) (Sur un menu) Crêpes Suzette / Les crêpes Suzette.

___

___

7) Lord Elgin, pilleur du Parthénon, est mort en 1841.
Lord Elgin, le pilleur du Parthénon, est mort en 1841.

___

___

8) L'enfant pauvre qu'il était roule, désormais, grosse voiture américaine, avec chauffeur et garde du corps.

___

___

9) Depuis, les comités de défense de la Révolution multiplient contrôles et vérifications d'identité.

____

____

10) Chaque mercredi, des pèlerins accourent du fin fond de l'Italie. Groupes folkloriques, écoliers, sportifs, étudiants, anciens combattants, handicapés viennent s'entasser devant la basilique Saint-Pierre.

____

____

EXERCICE I.3

LE NOMBRE

Quelle différence faites-vous entre :

1) aller à l'eau / aux eaux

2) avoir une disposition à / des dispositions pour

3) battre de l'aile / des ailes

4) un enfant sans soin / sans soins

5) demander du secours / des secours

6) faire la mine / des mines

7) être sur l'onde / les ondes

8) montrer de l'attention / des attentions

9) faire une avance / des avances

10) être touché par la bonté / les bontés de quelqu'un

11) ne pas supporter la vue / les vues de quelqu'un

12) obtenir la faveur / les faveurs d'une personne haut placée

13) utiliser du cuivre / des cuivres

14) À dix heures, extinction du feu / des feux

15) Quelle est votre disponibilité ? / Quelles sont vos disponibilités ?

EXERCICE I.4

L'ADJECTIF QUALIFICATIF (1)

A. Certains adjectifs ont des sens différents selon qu'ils qualifient des noms désignant des êtres animés (animaux ou êtres humains et leur attitude) ou des objets. Quelle nuance sépare les deux emplois des adjectifs suivants ?

1) un enfant difficile / un chemin difficile

____

____

2) une faible femme / un faible espoir

____

____

3) un chien fidèle / une traduction fidèle

____

____

4) un enfant fluet / une voix fluette

____

____

5) un air franc / une franche hostilité

____

____

6) un généreux donateur / une poitrine généreuse

____

____

7) la jeunesse ingrate / un sol ingrat

____

____

8) un esprit servile / une traduction servile

____

____

9) un partisan tiède / un potage tiède

10) une âme vaine / de vains regrets

B. Dites quelle nuance de sens sépare l'adjectif antéposé et postposé dans les exemples suivants :

1) le fameux roman de ... / un écrivain fameux

2) un faux problème / un problème faux

3) avoir fière allure / un homme fier

4) un fin connaisseur / avoir l'oreille fine

5) être de méchante humeur / un regard méchant

6) c'est la pure vérité / un ciel pur

7) une simple formalité / un style simple

8) avoir triste mine / avoir l'air triste

____

____

9) l'unique solution / une solution unique

____

____

10) un vague espoir / une idée vague

____

____

EXERCICE I.5

L'ADJECTIF QUALIFICATIF (2)

A. Accolez à chacun des adjectifs de la liste suivante deux substantifs ; dans un cas, (a) l'adjectif sera neutre et, dans l'autre, (b) il aura une valeur intensive.

Ex. : fin : a) un repas fin = raffiné
b) le fin fond de qqc = la partie la plus éloignée

1) beau / belle a) ____________ b) ____________
2) fameux a) ____________ b) ____________
3) fier a) ____________ b) ____________
4) fini a) ____________ b) ____________
5) fou a) ____________ b) ____________
6) franc a) ____________ b) ____________
7) haut a) ____________ b) ____________
8) profond a) ____________ b) ____________
9) terrible a) ____________ b) ____________
10) vif a) ____________ b) ____________

B. Une différence de sens sépare, en général, l'adjectif employé comme adverbe et l'adverbe en « -ment » correspondant. Précisez cette différence dans les exemples qui suivent :

1) voler bas / se conduire bassement

____

2) vendre cher / vendre chèrement sa vie

____

3) voir clair / accuser clairement quelqu'un

____

4) taper dur / répondre durement

____

5) chanter faux / être accusé faussement

____

6) boire ferme / agir fermement

____

7) il fait frais / accueillir fraîchement quelqu'un

____

8)	voir grand	/	avoir grandement les moyens de ...
9)	viser juste	/	comme elle l'a justement dit
10)	s'arrêter net	/	l'emporter nettement sur qqn

EXERCICE I.6

LE VERBE (1)
VERBES ET PRÉPOSITIONS

Plusieurs verbes peuvent se construire avec des prépositions différentes. Dans certains cas, le choix de la préposition est une question de style ; dans d'autres, le verbe change de sens selon la préposition qui l'accompagne. Précisez la nuance stylistique ou sémantique qui oppose, le cas échéant, les constructions suivantes :

A. 1) assurer quelqu'un de quelque chose / assurer quelque chose à quelqu'un ____________________

____

____

2) atteindre quelque chose / atteindre à quelque chose ____________________

____

3) s'associer à / avec / quelqu'un ____________________

____

4) causer à / avec / quelqu'un ____________________

____

5) comparer une chose à / avec / une autre ____________________

____

6) continuer à / de / + infinitif ____________________

____

7) compter sur / avec / quelqu'un ____________________

____

8) contraindre quelqu'un à / de / + infinitif ____________________

____

9) croire à / en / quelque chose ____________________

____

10) se fâcher après / avec / contre / quelqu'un ____________________

____

____

11) féliciter quelqu'un de / pour / quelque chose ______________________________

____

12) goûter à / de / quelque chose ______________________________

____

13) obliger quelqu'un à / de / + infinitif ______________________________

____

14) participer à / de / quelque chose ______________________________

____

15) remercier de / pour / quelque chose ______________________________

____

B. 1) s'acharner après / contre / sur / quelqu'un ______________________________

____

____

2) aider quelqu'un / aider à quelqu'un ______________________________

____

3) en appeler à quelque chose / de quelque chose ______________________________

____

4) buter contre / sur / quelque chose ______________________________

____

5) se buter contre / à / quelque chose ______________________________

____

6) commencer à / de / par / + infinitif ______________________________

____

____

7) complimenter quelqu'un de / pour / sur / quelque chose ______________________________

____

____

8) convertir quelqu'un à quelque chose / convertir quelque chose en quelque chose ______

______

______

9) divorcer avec / d'avec / de / quelqu'un ______

______

______

10) s'efforcer à / de / pour / + infinitif ______

______

______

11) ne faire que + infinitif / ne faire que de + infinitif ______

______

12) finir de / par / + infinitif ______

______

13) parer quelque chose / à quelque chose ______

______

14) prétendre quelque chose / à quelque chose ______

______

15) procéder à / de / quelque chose ______

______

EXERCICE I.7

LE VERBE (2)
VERBES ET MODES

Dites si le mode employé (indicatif, conditionnel ou subjonctif) relève d'une servitude ou d'une option et indiquez éventuellement la nuance exprimée par ce mode :

1) Des experts américains ne pensent pas que les Soviétiques *reprendront* de sitôt les négociations sur la réduction des armes nucléaires.

____

____

2) Il semblait vivre dans un monde à part et parlait rarement aux autres villageois, en sorte que ceux-ci l'*avaient surnommé* « le rêveur ».

____

____

3) Il n'empêche que, par cupidité ou crainte, il *ait parlé*.

____

____

4) Il était loin de se douter que la survie des bébés phoques *dépendrait* un jour de l'avenir de l'Allemagne.

____

____

5) Pas étonnant donc si, avec beaucoup de réalisme, le géant japonais Toyota *vient* d'accepter qu'un de ses modèles *soit vendu* sous la marque Chevrolet.

____

____

6) En trois manœuvres successives, le Premier ministre a réussi à surmonter cette crise, l'une des plus graves qu'*ait connues* le pays.

____

____

7) Cette crainte explique que les réactions de l'opinion *aient été* remarquablement pondérées et que le gouvernement *ait agi* avec beaucoup de circonspection.

____

____

8) Le doyen de l'université de Samoa dit du livre de Freeman : « C'est la première fois qu'un « outsider » *a écrit* sur Samoa comme le ferait un Samoan. »

____

____

9) Il s'était fixé comme objectif l'élection d'un homme qui lui *fût acquis*.

____

____

10) La réquisition est apparue comme l'argument juridique le moins tapageur que l'on *pouvait* trouver.

____

____

11) Quelles que soient les études de faisabilité qu'ils *aient réalisées*, l'entreprise ne sera qu'un demi-succès.

____

____

12) Il veut un hôtel dont il *puisse être* fier, un hôtel de luxe, la consécration de sa carrière en quelque sorte.

____

____

13) Les industriels désirent offrir des produits meilleurs pour la santé et alléger en matières grasses charcuterie et fromages. On cherche une astuce qui *permettrait* de remplacer une partie des matières grasses par un mélange eau-protéines.

____

____

14) Le président de Toyota Canada doute qu'une microvoiture *soit adaptée* à la géographie et aux habitudes nord-américaines.

____

____

15) On espère qu'un jour *viendra* où l'on comprendra par quels mécanismes l'état psychologique peut être à l'origine de troubles fonctionnels.

____

____

DEUXIÈME PARTIE

VARIÉTÉ DES TERMES

EXERCICE II.1

EXPRESSIONS IDIOMATIQUES (1)

Remplacez le membre de phrase en italique par une expression idiomatique contenant l'un des mots suivants (certains resteront sans emploi) :

argile	casaque	cote	guerre	levée	pavé	poupe	vent
barque	chou(x)	feu	jeu	médaille	pierre	sellette	vif

Ex. : Il avait apparemment *entendu parler* de cet accord.
Il avait apparemment eu vent de cet accord.

1) On se rappelle par quelle *opposition* avait été accueilli, il y a quelques années, le projet de réforme de l'orthographe.

___

2) La liste est déjà longue des États qui, après avoir reçu armes et crédits, ont fini par *changer d'opinion et se tourner vers quelqu'un d'autre.*

___

3) Après les élections, M. Trudeau avait tenu parole, au grand désespoir des journalistes qui, après avoir *exploité* la trudeaumanie, puis la trudeauphobie, trouvaient le brouet un peu clair.

___

4) Voici un nouveau projet de loi, relatif aux droits et obligations des locataires et des bailleurs, *dont on parle beaucoup.*

___

5) Le vieux leader semble disposé à *envenimer les choses*, si l'on en juge par les duels d'artillerie qui opposent les soldats des deux pays le long de la frontière.

___

6) Lorsque, *leur résistance à bout*, les autorités céderont, ce sera le délire.

___

7) Les rapports entre les deux Allemagnes ont toujours été *ce qui permettait d'évaluer* la détente.

___

8) Depuis l'ouverture officielle de la campagne référendaire, le petit homme au regard bleu, l'œil toujours plissé par la fumée d'une cigarette, *dirigeait ses affaires* de façon très habile.

___

9) Le président d'un important groupe textile a décidé de *prendre des mesures énergiques* : dans les semaines qui viennent, quatre usines du groupe vont fermer et une cinquième sera cédée à un concurrent.

___

10) Dans tous les secteurs, les postes fonctionnels — marketing, gestion — seront en régression, alors que les départements commerciaux et la production *seront en progression.*

___

EXERCICE II.2

EXPRESSIONS IDIOMATIQUES (2)

Remplacez les mots en italique par une expression idiomatique contenant l'un des mots suivants (certains resteront sans emploi) :

brèche	coupe	feu	lion	pièce	point	tambour	vent
cavalier	croupière	grain	ongle	pinacle	sabre	tombeau	visière
couleuvre							

1) Si l'Occident entend *s'opposer* aux desseins de la Lybie, il doit aider le pays frontalier le plus menacé.

____

2) Ces mercenaires coûtent cher : mille cinq cents dollars en moyenne chaque mois, payables *sans délai*.

____

3) Les scandales qui ont ponctué la campagne présidentielle n'*ont eu* jusqu'à présent *aucune suite*.

____

4) Mais le ministre du Commerce extérieur n'a pas ajouté qu'en contrepartie la cherté des produits « made in USA » permet à nos exportateurs de *gêner* les Américains.

____

5) Au nom de la raison d'État, le Président *a subi l'affront sans rien laisser paraître* et a accepté la création d'une commission d'enquête sur les méfaits de son protégé et ami.

____

6) L'opposition demandait des *suppressions importantes* dans le budget de la Défense.

____

7) Pour bien montrer qu'il n'entend pas *refuser la collaboration*, le nouveau Premier ministre a confié l'ensemble des affaires économiques à un conservateur au-dessus de tout soupçon.

____

8) En route, l'un des véhicules roulant *à très vive allure* est arrêté par une patrouille.

____

9) L'organisation avait su toutefois, *en dépit de tout*, garder son indépendance à l'égard de certains pays étrangers.

____

10) La répartition des fonds entre les groupes acquéreurs est tenue rigoureusement secrète pour ne pas faire de jaloux, mais, à l'évidence, la compagnie pétrolière recevra *la plus grosse part*.

____

EXERCICE II.3

EXPRESSIONS IDIOMATIQUES (3)

Remplacez le blanc par le mot manquant et donnez le sens de la locution ainsi formée :

1) Il y a un peu plus d'un an, dans une entrevue accordée à un magazine célèbre, il avait lancé un fameux ____________ dans la mare en affirmant que, de plus en plus, les as de la raquette utilisaient eux aussi des produits dopants.

____

2) Un premier ministre est toujours en sursis. Fonction oblige : taillable et ____________ à merci, il sera remercié à l'heure voulue par le président de la République.

____

3) Les « durs » de l'armée de terre redressent la tête, attendant le moment propice d'arrêter la progression de l'ennemi avec l'aide de la marine, ____________ de lance de l'opération.

____

4) De nouvelles tergiversations risqueraient de menacer la survie même de cette industrie moribonde, qui fut jadis le plus beau ____________ de l'économie belge.

____

5) Le président Lyndon Johnson avait dû abandonner sa charge sous un ____________ roulant de critiques.

____

6) Un physique ingrat, des airs de baron méprisant, l'auteur de la loi Sécurité et liberté, farouche défenseur de la peine de mort, était la ____________ de Turc des intellectuels, des avocats et des journalistes.

____

7) Deux heures durant, ils ont tenu la ____________ haute aux militaires avant de se retirer en bon ordre.

____

8) Le traité de coopération signé par la Finlande est la ____________ de voûte de ses relations avec Moscou.

____

9) Ça et là, des voix se sont élevées pour crier casse-cou. Elles ont ____________ dans le désert.

____

10) Il ne manquait vraiment plus que cela ! Comme s'il ne suffisait pas du patronat pour tirer à ____________ rouges sur les nationalisations, voilà que les syndicats s'en mêlent à leur façon.

____

EXERCICE II.4

LOCUTIONS D'ORIGINE BIBLIQUE, MYTHOLOGIQUE OU HISTORIQUE (1)

Dans les phrases suivantes, soulignez les locutions d'origine biblique, mythologique ou historique et donnez-en le sens :

1) Ce guide décrit cinquante États, présente vingt itinéraires, mile après mile, et la liste de tous les lieux touristiques : voilà donc un fil d'Ariane indispensable à celui qui se propose de visiter les États-Unis.

____

2) Déjà, les accusations fusent. Le syndicat donne le coup d'envoi en engageant une querelle byzantine avec la direction.

____

3) Dépendante de l'URSS pour son approvisionnement en pétrole, la Pologne, comme les autres pays de l'Est, a dû passer sous les fourches caudines soviétiques : le pétrole russe n'est guère moins cher aujourd'hui que celui de l'OPEP.

____

4) Le projet de zone dénucléarisée a été remis aux calendes grecques, la Suède y mettant des conditions draconiennes.

____

5) Pourfendeur des accords de Camp David, gendarme du Liban et tuteur des Palestiniens, la Syrie était-elle en train de devenir le talon d'Achille du Proche-Orient ?

____

6) C'est la crise qui accroît le nombre des chômeurs, et qui transforme l'émigré en bouc émissaire.

____

7) Chez nombre de jeunes est en train de s'installer une loi du milieu de type nouveau qui identifie tout recours à la puissance légale à une dénonciation ignominieuse et qui lui préfère la loi du talion.

____

8) Nul doute que le gouvernement, manquant de devises, ne souhaite faire fructifier ce pactole.

____

9) L'hydre de la guérilla a plusieurs têtes. Les excès, la répression impitoyable exercée par les forces armées ont toujours mieux fait pour accroître les rangs des guérilleros que n'importe quelle livraison d'armes, venue ou non de l'étranger.

____

10) La politique « monétariste » a tout de même porté quelques fruits. L'inflation à deux chiffres n'est plus qu'un mauvais souvenir aux États-Unis. Victoire à la Pyrrhus ! Elle se paie, en effet, d'une stagnation de la production et d'une augmentation tragique du chômage qui n'est, semble-t-il, pas près d'être enrayée.

____

EXERCICE II.5

LOCUTIONS D'ORIGINE BIBLIQUE, MYTHOLOGIQUE OU HISTORIQUE (2)

Dans les phrases suivantes, remplacez les membres de phrase en italique par une locution d'origine biblique, mythologique ou historique contenant l'un des mots suivants :

capitole	cheval	éminence	gémonies	Hercule	nœud	pilori	Rubicon
cerbère	égide	épée	haro	ivraie	oie	pomme	tonneau

1) L'exemple du « Norway », alias « France », est en tout cas convaincant. Ce fleuron de la marine marchande française était, par son déficit chronique, un *gouffre sans fond.*

___

2) Le dilemme des pays de l'Alliance, leur *sujet de dispute*, c'est qu'ils n'ont pas de doctrine claire en ce qui concerne l'usage éventuel des armes nucléaires.

___

3) Alors que la course aux armements chimiques reprend de plus belle entre l'URSS et les États-Unis, certains pays d'Europe refusent toujours de *prendre une décision* et continuent de compter sur l'atome comme seul élément dissuasif.

___

4) Des dizaines de voix se sont élevées pour *dénoncer* les experts coupables de compromettre le caractère « ouvrier » du mouvement.

___

5) En raison du *danger toujours présent* que constitue la menace d'exécution de ceux qui sont accessibles à la « machine de guerre », les investissements étrangers deviennent de plus en plus hasardeux.

___

6) En 1936, *sous la protection du* gouvernement, les Japonais se sont lancés dans la construction automobile sous licence étrangère.

___

7) L'interprète, *gardien* vigilant mais plein d'attention, s'est constitué notre chevalier servant.

___

8) L'architecte fut *dénoncé et blâmé publiquement* puis jeté en prison pour dépenses extravagantes.

___

9) En quelques mois, le jeune Montréalais est devenu le *conseiller intime* du Premier ministre.

___

10) Pour réaliser les travaux *gigantesques* que constituait le relevage de plates-formes à l'aide de vérins hydrauliques, ils ont fait appel à plus de 300 techniciens.

___

EXERCICE II.6

COMPARAISONS

Donnez une comparaison qui remplacera l'adjectif ou l'adverbe en italique (dans un cas, il sera nécessaire de modifier le verbe de la phrase) :

Ex. : C'était très clair (facile à comprendre).
C'était clair comme de l'eau de roche.

1) La nouvelle s'est répandue *très rapidement*.

____

2) La petite embarcation fut *rapidement* emportée par le courant.

____

3) L'enfant paradait, *extrêmement* fier, dans son habit neuf.

____

4) Les deux journalistes, qui se sont *très bien* entendus, ont enquêté sur les cafétérias des musées américains.

____

5) La nouvelle a *énormément* surpris.

____

6) Elle ne parvenait pas à se débarrasser du jeune homme qui la suivait *fidèlement* partout où elle allait.

____

7) Bien qu'âgé de quatre-vingts ans, il se portait *très bien*.

____

8) *Extrêmement* riche, il fut l'un des premiers à faire partie des excursions en Terre sainte organisées par Thomas Cook en 1869.

____

9) Au temps de la détente, la politique mondiale du Kremlin était *parfaitement* réglée.

____

10) Les pacifistes qui, à la veille de l'ouverture du procès, espéraient que cette affaire se dégonflerait *rapidement* en ont été pour leurs frais.

____

EXERCICE II.7

LOCUTIONS LATINES (1)

Donnez le sens des locutions latines contenues dans les phrases suivantes :

1) Tel-Aviv craint que Washington ne retienne *in fine* que les seules propositions égyptiennes et que l'État hébreu ne se trouve à long terme, *ipso facto*, hors du dispositif stratégique essentiel de l'Amérique au Proche-Orient.

___

2) Avant d'aborder les exercices, le professeur se livra à une démonstration *ex cathedra* de l'art de traduire.

___

3) Le parti communiste a fait savoir *urbi et orbi* que les pays jouissant d'un régime soviétique ou similaire présentaient un « bilan globalement positif ».

___

4) L'instruction ayant privilégié *a priori* une thèse, il a fallu beaucoup de ténacité pour arrêter la mécanique ainsi enclenchée.

___

5) Est-il possible de trouver un *modus vivendi* qui nous permette de vivre ensemble sans que soit créé un État indépendant ?

___

6) Une lettre analogue — *mutatis mutandis* — a été adressée le même jour au ministère du Travail.

___

7) On vient aujourd'hui en Finlande observer *in vivo* ce cas d'espèce, issu des nécessités de l'Histoire.

___

8) Afin de parvenir à une solution amiable de la question, le Comité peut, avec l'assentiment préalable des membres, désigner une commission de conciliation *ad hoc*.

___

9) Le refus opposé par le Premier ministre fait redouter que la Grande-Bretagne ne s'exclue d'elle-même d'un système dont, *nolens volens*, elle fait partie.

___

10) Jusqu'au début de la semaine dernière, il se gardait bien de désigner ce pays comme le *deus ex machina* de la rébellion.

___

EXERCICE II.8

LOCUTIONS LATINES (2)

Trouvez la locution latine pouvant remplacer les mots en italique :

1) L'interprète doit souvent se documenter *à la dernière minute* sur le sujet des conférences auxquelles il participe.

____

2) L'enseignement de la traduction ne peut se faire *à partir de rien* : il doit reposer sur de solides connaissances linguistiques.

____

3) Les vingt-cinq Soviétiques déclarés « *indésirables* » et expulsés avaient pour mission l'espionnage militaire et le renseignement scientifique.

____

4) On vient d'apprendre l'ajournement *à une date indéterminée* des élections prévues pour novembre.

____

5) Il a affirmé que le respect de l'indépendance était la condition *nécessaire et absolue* de la détente.

____

6) Le mois dernier, le gouvernement des Bahamas a décidé d'expulser *en utilisant la force armée* les trente mille immigrés haïtiens en situation irrégulière installés sur le territoire.

____

7) On se demande de beaucoup d'images si elles viennent de reportages ou si elles ont été reconstituées *après coup*.

____

8) Désireuse d'achever son unité territoriale, l'Inde absorba peu à peu les Établissements français : incorporation de Chandernagor en 1952, annexion *de fait* en 1954 et cession officielle en 1956 de Pondichery.

____

9) Il lui était plus facile de comprendre les tares du système américain que s'il avait été, par exemple européen et, *à plus forte raison*, américain.

____

10) C'est en 1985 que Michelin a présenté son MTM (Michelin Tire Monitor), dispositif de contrôle de pression des pneus utilisant *ce qu'il y a de plus perfectionné en fait de* capteurs et de microprocesseurs.

____

EXERCICE II.9

ANTONOMASES*

Quelles antonomases reconnaissez-vous dans les phrases suivantes :

1) Le cardinal Wyszynski, mentor de son compatriote le pape Jean-Paul II, dominait la vie polonaise.

___

2) Quinze ans s'écoulent entre le dernier film personnel de Bunuel et son retour à la mise en scène, quinze ans où Bunuel ne trouve pas une minute pour se plaindre de ne pouvoir « s'exprimer » comme le font tant de Narcisses contemporains.

___

3) Deux grandes éditions modernes de la *Correspondance* de Voltaire ont été prêtées par le célèbre érudit voltairien et mécène anglais Theodore Besterman.

___

4) La grande ambition du ministre est d'ouvrir l'école vers le monde extérieur. Un pas non négligeable a été fait cette année avec l'organisation réussie, malgré les Cassandre, de quelque 30 000 stages d'élèves en entreprise.

___

5) Un Roumain et un Polonais se sont notamment engagés dans la voie du management sportif où les avait précédés le Pygmalion du champion de tennis américain.

___

6) La coupure avec les épigones de Mao était-elle totale ? Point donc. M. Hua Guofeng conservait sa place au comité central et plusieurs membres du clan dit de « l'industrie lourde » se maintenaient soit au secrétariat, soit au bureau politique.

___

7) Si la Mafia s'en est prise aux séides de Don Tomasini, c'est pour intimider ce dernier et le contraindre au silence.

___

8) Le génial Tartuffe, conseiller juridique ayant énormément d'entregent et de relations, a grugé un nombre incalculable de clients.

___

* L'antonomase est le procédé par lequel on substitue à un nom commun un nom propre ou une périphrase qui énonce sa qualité essentielle et réciproquement. Ex. : un don Juan pour un séducteur. On met une majuscule aux noms propres de personnes pris par antonomase comme noms communs à moins qu'un long usage n'en ait fait de véritables noms communs (ex. : un Tarzan, un machiavel).

9) On rencontre de moins en moins de ces béotiens qui, après sept cents heures de cours en six ans, sont incapables de demander l'heure en anglais ou en allemand à un autochtone.

---

10) Cette mégère éconduite nous dépeint son ex-mari comme un mufle grossier, violent, alcoolique, velléitaire et paresseux.

EXERCICE II.10

REMPLACEMENT D'UN VERBE ABSTRAIT PAR UN VERBE CONCRET (1)

Remplacez le verbe en italique par un verbe plus imagé, plus concret (donc plus expressif) dicté par le contexte :

1) Comme au temps de Nelson, la Royal Navy a pris la mer et *s'est dirigée* vers l'hémisphère austral.

____

2) La Commission n'hésite pas à *transformer* les habitudes nationales.

____

3) La querelle au sujet de l'Europe *vient s'ajouter à* la lutte engagée entre la gauche et la droite pour le contrôle du parti.

____

4) Pas un jour ne se passe sans que *se produisent* des incidents qui opposent les populations locales aux autorités civiles ou militaires.

____

5) L'an dernier, le secrétaire général procédait à un « coup de force » et, pour *établir* son autorité, limogeait trois de ses adjoints.

____

6) Dans les usines, à peine mises en route, les machines *marchaient avec des à-coups*.

____

7) Dans ces hameaux qui *se trouvent* sur les collines le long du fleuve, les habitants, éleveurs de bovins et cultivateurs de maïs, considèrent l'attentat d'un œil serein.

____

8) Sur la composition, d'un pompiérisme douceâtre, tous *ont* ce sourire inaltérable qui sied aux têtes couronnées.

____

9) Si le calme revient maintenant, en partie à cause de l'omniprésence des forces armées qui *contrôlent* le pays, il restera au gouvernement à tirer les conséquences politiques d'une semaine de coups de sang.

____

10) Ce soir-là, alors que *se voyaient* encore dans le ciel les lueurs de lointains incendies, le centre de la ville semblait avoir été ravagé par un gigantesque séisme.

____

EXERCICE II.11

REMPLACEMENT D'UN VERBE ABSTRAIT PAR UN VERBE CONCRET (2)

Remplacez le verbe en italique par un verbe plus imagé :

1) Un soldat est allé *mettre* son drapeau noir en haut du talus.

____

2) Un officier moustachu *fait* de grandes flèches sur une carte et les lignes ennemies s'effondrent sous l'effet du stylo à bille.

____

3) L'Europe à douze voit en effet non seulement son niveau de vie légèrement diminuer, mais encore le fossé entre les plus riches et les pauvres de ses membres *s'agrandir* sensiblement.

____

4) Dans le ghetto de Handsworth, où *se mêlent* les problèmes de chômage, d'immigration et d'insécurité, neuf jeunes Noirs sur dix n'ont pas de travail.

____

5) Le navire rejoindra les neuf bâtiments qui *vont et viennent* au large des côtes espagnoles.

____

6) Deux cents voitures de jadis quitteront les capitales européennes pour *se rendre* à Monte-Carlo.

____

7) Il est persuadé que l'ennemi va au-devant de graves revers militaires et qu'il *s'enfoncera* dans une situation dont il lui sera difficile de sortir.

____

8) Récemment, la vogue des « convenience stores » — ces petits supermarchés ouverts sept jours sur sept et vendant des articles de première nécessité — *s'est répandue* en Grande-Bretagne.

____

9) Ces questions les *immobilisent* dans un mutisme perplexe et légèrement méprisant.

____

10) Ce mode de culture *compromet* gravement l'avenir. L'érosion avance à grands pas. À chaque pluie, ce sont des mètres cubes de terre qui *descendent le long* des pentes dénudées et vont *s'accumuler dans* le lagon où ils engraissent d'inutiles palétuviers.

____

EXERCICE II.12

INTENSIFS (1)

Dans chaque phrase, remplacez le mot en italique par un terme plus fort :

Ex. : Les chauffeurs *craignent* de s'aventurer la nuit dans ce quartier.
Les chauffeurs redoutent de s'aventurer la nuit dans ce quartier.

1) Les syndicats *refusent d'obtempérer*, le pays *se soulève*. Le Premier ministre *ordonne* aux ouvriers de retourner au travail.

____

2) L'exceptionnelle organisation sociale des termites n'en finit pas de *surprendre* les entomologistes.

____

3) La Turquie ne perdait pas une occasion de *montrer* sa défiance à l'égard de ses alliés traditionnels.

____

4) La démarche n'est pas aussi *anormale* qu'il y paraît.

____

5) Le mot de finlandisation est, dit-il, *détesté* par les Finlandais.

____

6) À Java, les traditions sont assez fortes pour que la danse et le théâtre d'ombres, pourtant *interdits* par le Coran, soient toujours florissants.

____

7) C'est dans les années 60 que fut *vaincue*, au Guatemala, une précédente guérilla.

____

8) Une défense proprement européenne a toujours paru *irréalisable* à certains pays.

____

9) Les immigrants, enfermés, *courent* vers les grillages. Chacun *examine* les visages tendus. On *tend* des pancartes, des bouts de papier chiffonnés.

____

10) Les policiers *protestent* contre ce raid et la complaisance dont a bénéficié le groupe de tueurs.

____

EXERCICE II. 13

INTENSIFS (2)

Dans les phrases suivantes, remplacez le mot en italique par un terme de plus grande intensité.

Ex. : La séance du conseil est *agitée*.
La séance du conseil est houleuse.

1) La petite bourgeoisie *demandait* l'autonomie et non pas l'indépendance.

____

2) Il voulait attendre les conclusions d'une commission chargée d'enquêter sur l'*honnêteté* de l'un des proches collaborateurs du président.

____

3) Conservateurs, les médecins *s'accrochent* à leur pouvoir et ne tiennent pas à ce que leurs connaissances soient remises en question.

____

4) L'ampleur de la manifestation a *rempli* d'espoir le cœur des indépendantistes.

____

5) Il y a quelques années, un jeune militant est venu *s'adresser aux* élèves d'une école de quartier.

____

6) L'affaire *traîne en longueur*.

____

7) La grande masse des Tibétains demeure cantonnée dans des habitations *vétustes*.

____

8) Pour des milliers d'Américains *amateurs de* base-ball, les jeux du stade sont finis : c'est le moment où l'on recommence à s'intéresser à ceux de la politique.

____

9) C'était un homme à qui la politique souriait, comme en témoignait sa *rapide* ascension depuis l'époque où il était petit gouverneur de province.

____

10) Patiemment, durant plus de deux ans, ils *préparent* leur projet.

____

11) À l'abri derrière la législation italienne, les fondateurs de la nouvelle station radiophonique *hésitent* à parler argent. Ils se défendent néanmoins vigoureusement de *dépendre du* parti socialiste.

____

12) On accuse certains journalistes de gauchir l'information. Les militants *se moquent d'eux* à l'envi.

____

13) La différence entre les masses des deux atomes est si *mince* que, pour les séparer et les redistribuer, il faut les piéger à l'état gazeux.

____

14) Si l'on continue à *pousser* les Noirs à la violence, ils pourraient bien se tourner vers les Cubains.

____

15) Il leur faut, chaque jour davantage, pallier les carences d'une armée *affaiblie* par les désertions.

____

EXERCICE II.14

PÉJORATIFS

Remplacez le mot en italique par un terme péjoratif :

Ex. : Deux dames *causaient* dans un coin.
Deux dames papotaient dans un coin.

A. 1) Des commandos ont fait du porte-à-porte pour éliminer les *partisans* du régime en place.

____

2) Le soir, on *chante* l'hymne national devant la statue du souverain du XVIIe siècle.

____

3) Il a le *visage* boutonneux d'un adolescent mal dans sa peau.

____

4) La journée a été fertile en *discussions*.

____

5) L'actrice arborait son *éternel* sourire.

____

6) Dans cette *foule*, les deux inculpés passent presque inaperçus.

____

7) Jeune encore, il a des opinions modérées contrastant avec les vieilles positions *nationalistes* de son leader.

____

8) Un grand lieutenant-colonel de quarante-neuf ans va et vient, cigarette *aux lèvres*, toujours armé. Ses hommes commencent à l'abandonner, mais il continue à *parader*.

____

9) En ce qui concerne les dispositifs de sécurité, les autorités d'Oslo passent pour les plus *exigeantes* du monde.

____

10) Le maire fut atterré d'apprendre que son fils *s'était lié* avec de *mauvais sujets*.

____

B. 1) Les films sur les « rednecks », de plus en plus nombreux, montrent l'Amérique profonde en butte à la police, aux citadins *malhonnêtes* et aux *politiciens*.

____

2) Deux cent cinquante mille réfugiés, *installés* à proximité de la capitale, demandent à cor et à cri d'être transférés au Pakistan.

____

3) On reproche à ce *petit groupe* d'avoir développé à la radio des thèses favorables à l'indépendance.

____

4) Pour ne plus vouloir se plier à cet enseignement-là, sept *adolescentes* ont comparu devant un tribunal qui les a condamnées à de fortes amendes.

____

5) Un rapport *préparé* par trois sociologues affirme que deux millions de maris seraient chaque année rossés par leur femme.

____

6) La chaîne de télévision se rétracte et ne lui permet pas de parler en direct à la nation. L'opposition n'est pas dupe de *cette volte-face*.

____

7) Dans les pâtisseries, d'incroyables vieilles dames chapeautées *mangent* des gâteaux à la crème.

____

8) Les nations représentées à la conférence jugeaient utile le mémoire adopté, car il offrait un point de référence à partir duquel les *abus* d'un de ses signataires pouvaient être condamnés.

____

9) Cet immense bâtiment néo-gothique *imite* le style du Parlement de Westminster.

____

10) Les nations industrialisées proposent au tiers monde des armements, des équipements sophistiqués, des produits de luxe qui n'introduisent qu'un *semblant* de progrès dans des sociétés où font défaut les bases économiques primordiales.

____

TROISIÈME PARTIE

VARIÉTÉ DES TOURS

EXERCICE III.1

ÉLIMINATION DES « TICS » (1)

Face à

Supprimez la locution « face à » soit en la remplaçant par une autre préposition ou locution prépositive, soit en transformant la phrase :

Ex. : 1) Face à la flambée des vols, les commerçants du quartier ont choisi la politique de la terre brûlée et quittent les lieux.

Devant la flambée des vols, les commerçants du quartier ont choisi la politique de la terre brûlée et quittent les lieux.

2) On s'attend pour l'an prochain à la suppression de 80 000 emplois. Cependant, face à la crise, les entreprises se montrent plus agressives.

On s'attend pour l'an prochain à la suppression de 80 000 emplois. Cependant, la crise réveille l'agressivité des entreprises.

1) Le Président sera alors en meilleure position pour se justifier face à l'aile gauche de son gouvernement.

____

____

2) Face à l'abondance, nous avons changé nos habitudes alimentaires : maintenant, nous mangeons selon notre humeur, n'importe où, n'importe quand, n'importe quoi.

____

____

3) Certains parents d'enfants de la maternelle s'inquiètent face à la lenteur de l'apprentissage. Ils voudraient presque que leur bambin apprenne le latin à trois ans.

____

____

4) La découverte du pétrole et le développement des ressources énergétiques n'incitèrent pas pour autant les dirigeants à réduire la dépendance de leur pays face aux puissances anglo-saxonnes.

____

____

5) L'inquiétude américaine face à l'intention prêtée au Pakistan de se doter d'un arsenal atomique est l'un des facteurs de détérioration des relations entre les deux pays.

____

____

6) Ces expatriés, qui, bien souvent face à la répression du régime, ont fui leur pays, envoient de l'argent ou des biens matériels aux membres de leur famille restés en Afrique.

____

____

7) Face aux accusations portées contre lui par l'agence gouvernementale chargée de surveiller les marchés boursiers, il affirme, dans sa lettre de démission, qu'elles n'ont aucun fondement.

____

____

8) L'excédent de la balance des paiements courants de la R.F.A. a nettement diminué ce mois-ci, revenant à 634 millions de DM face à 3 milliards en octobre dernier.

____

____

9) Cette reprise économique, qui devait permettre de rattraper quelque peu les retards accumulés face aux prévisions du VIe plan quinquennal de développement, a été illustrée par une nette remontée du taux de croissance du produit intérieur brut.

____

____

10) Face au fléchissement de 8 % du secteur du tourisme, les industries manufacturières ont progressé de 9,3 %.

____

____

EXERCICE III.2

ÉLIMINATION DES « TICS » (2)

Au niveau de

Supprimez la locution « au niveau de » en la remplaçant par un terme moins banal et plus précis ou en employant une tournure dictée par le contexte.

Ex. : 1) Au niveau du marché de l'or, ni la crise du Liban ni le repli du dollar n'ont fait recette, le cours de l'once retombant de 386 dollars à 377 dollars.

Sur le marché de l'or, ni la crise du Liban ni le repli du dollar n'ont fait recette, le cours de l'once retombant de 386 dollars à 377 dollars.

2) Selon un rapport de l'ONU, il y aura, au niveau de la population mondiale, 10,2 milliards d'habitants sur terre en l'an 2095 contre 4,6 milliards aujourd'hui.

Selon un rapport de l'ONU, la terre, en l'an 2095, comptera 10,2 milliards d'habitants contre 4,6 milliards aujourd'hui.

1) Nous avons aussi discuté de différentes propositions au niveau de l'amélioration du système monétaire international.

____

____

2) Il s'adressera à la nation le 20 octobre. On attend encore des précisions au niveau de l'horaire.

____

____

3) Air Canada signale plusieurs retards au niveau des départs et des arrivées.

____

____

4) L'inquiétude règne de plus en plus au niveau des travailleurs qui se voient menacés de perdre leur emploi.

____

____

5) En peu de temps, une révolution s'est produite au niveau de la culture céréalière.

____

____

6) Le gouvernement aurait dû prendre des mesures énergiques au niveau de la hausse vertigineuse des salaires et des prix.

____

____

7) Souvent, dans les foires-expositions, la nourriture laisse à désirer au niveau de la qualité.

____

____

8) Les autorités comptent poursuivre l'effort entrepris au niveau de la maîtrise des prix.

____

____

9) Le document confirme qu'au niveau des armements européens, aucun accord n'est possible sur la base des propositions occidentales actuelles.

____

____

10) Certains députés exercent des pressions pour amener le ministère des Finances à prendre des mesures au niveau de l'inflation.

____

____

EXERCICE III.3

ÉLIMINATION DES « TICS » (3)

Problème

Supprimez le mot « problème » en lui substituant un terme plus exact — ou moins banal — ou en modifiant la phrase :

Ex. : 1) On appelle insolation l'ensemble des problèmes dus au soleil (brûlures, céphalées, vertiges, déshydratation).

On appelle insolation l'ensemble des troubles dus au soleil, (brûlures, céphalées, vertiges, déshydratation).

2) Certains disent que les milliers de morts sur les routes sont un problème lié au progrès, le prix à payer pour la liberté de se déplacer.

Certains disent que les milliers de morts sur les routes sont la rançon du progrès, le prix à payer pour la liberté de se déplacer.

1) L'usine n'était pas dotée d'un système informatique capable de déceler le moindre problème de fonctionnement.

____

____

2) D'ennui en ennui, le projet Columbia avait alors accumulé deux années de retard. Les responsables de la Nasa n'étaient pas les seuls à déplorer ce problème.

____

____

3) Quand on entreprend une œuvre littéraire, il y a, comme à tout début, des problèmes.

____

____

4) Les autorités se sont efforcées de réduire les taux d'intérêt, qui entraînent des problèmes au niveau de toute la productivité.

____

____

5) Le gouvernement de la Colombie a fait un pas important vers la pacification de ce pays en proie depuis de nombreuses années aux problèmes causés par la guérilla.

____

____

6) Dans le diabète, le principal problème est que la glycémie augmente et qu'il y a du sucre dans les urines.

____

____

7) Au Japon, la population est invitée à acheter extincteurs, casques ou combinaisons en amiante, car les incendies, qui avaient fait trente huit mille morts en 1923, sont le problème le plus redouté en cas de tremblement de terre.

8) L'État et les collectivités locales s'attachent de plus en plus au problème de l'environnement et à celui de la qualité de la vie.

9) Après la guerre, le gouvernement effectue un bon nombre de nationalisations pour faire face au problème des matières premières et des biens de consommation qui étaient en quantité insuffisante.

10) Vers 1960, la Russie, devant le problème des retombées militaires du développement de l'industrie chimique allemande, a pris l'initiative de négociations diplomatiques sur l'interdiction des armes chimiques.

EXERCICE III.4

ÉLIMINATION DES « TICS » (4)

Dans le cadre de

Supprimez la locution « dans le cadre de » en lui substituant une locution plus juste — ou moins banale — ou en modifiant la phrase :

Ex. : 1) Dans le cadre de la nouvelle loi, l'Université a dû transformer ses programmes de premier cycle.

En application de la nouvelle loi, l'Université a dû transformer ses programmes de premier cycle.

2) Le ministre des Affaires extérieures doit rencontrer son homologue polonais cette semaine dans le cadre de la conférence de Stockholm.

Le ministre des Affaires extérieures doit rencontrer son homologue polonais cette semaine à la conférence de Stockholm.

1) L'Association canadienne-française procédera à une consultation élargie dans le cadre de son assemblée annuelle qui se tiendra à Sudbury les 26, 27 et 28 août.

____

____

2) La course des garçons et des filles de table, tenue dans le cadre de « Hull en août », se déroulera sur la terrasse de la Place du Centre entre 13 h et 15 h.

____

____

3) Le projet est intitulé « Inventaire et concertation Prescott-Russell ». Les comtés unis (gouvernement régional) ont obtenu, pour réaliser ce travail, une subvention de 96 090 $, dans le cadre du programme fédéral de création d'emplois « Relais ».

____

____

4) Le Conseil national de la recherche recherche six personnes intéressées à suivre une formation d'astronaute pour participer à deux expériences dans le cadre du programme de la navette spatiale.

____

____

5) Trois Mirage se sont écrasés au sol mardi dernier alors qu'ils regagnaient leur base dans le cadre d'un exercice militaire qui touchait à sa fin.

____

____

6) C'est le message que le chef de l'État a adressé à la nation dans le cadre de la Fête du Canada.

____

____

7) Dans le cadre du marasme actuel, la compagnie a dû limiter sa production à cinq appareils par mois.

____

____

8) Il y a une dizaine d'années, plusieurs villages ont été noyés dans le cadre de l'aménagement d'un lac artificiel qui ravitaille en eau la région et irrigue les terres agricoles alentour.

____

____

9) L'équipe de soccer de l'école secondaire Saint-Louis-de-Gonzague a donné hier soir une belle démonstration de soccer dans le cadre d'un match amical disputé au parc Jacques-Cartier contre une formation de joueurs de la région.

____

____

10) Dans le cadre du marché de un milliard de dollars que la filiale du groupe a obtenu pour la réalisation du métro de cette ville d'Afrique, elle construira une ligne de 28 kilomètres, entièrement en viaducs.

____

____

EXERCICE III.5

ÉLIMINATION DU VERBE « FAIRE »

Dans le texte suivant, éliminez, dans la mesure du possible, le verbe « faire ». Il sera nécessaire de modifier la structure de certaines phrases.

L'après-guerre

À la fin de la Seconde Guerre mondiale, les États-Unis firent leur apparition au premier rang des producteurs de grains sans que les Américains aient fait quoi que ce soit pour en arriver à cette situation.

La guerre avait, en effet, fait beaucoup de mal aux agricultures européenne et asiatique et, dans les villes, des milliers de personnes avaient faim.

Très vite, le gouvernement américain fit des avances de fonds aux Européens afin que ces derniers fassent en sorte que leurs populations affamées aient de quoi se nourrir. Mais il fallait alors que les États-Unis produisent les surplus nécessaires pour faire face à cette demande. Le gouvernement envoya des représentants dans les campagnes, fit entrevoir des récompenses et des primes aux fermiers.

Les États-Unis réussirent finalement à faire face : entre 1945 et 1949, ils firent la moitié des échanges mondiaux de blé ; les cargaisons livrées à l'Europe et à l'Asie, sous les auspices des Nations unies et du plan Marshall, firent que la vie était un peu plus supportable pour des centaines de milliers de gens et empêchèrent la famine.

Mais une évolution de la situation se fit sentir. Bientôt, les besoins des pays européens se firent moins pressants. Dès le début de 1948, des montagnes de céréales invendues firent leur apparition dans le Middle West et ces surplus devinrent un souci permanent pour les responsables de Washington.

Extrait de: Dan Morgan, *Les géants du grain*, Paris, Éditions Fayard, 1980.

EXERCICE III.6

ÉLIMINATION DU VERBE « ÊTRE »

Dans le texte suivant, éliminez, dans la mesure du possible, le verbe « être ». Il sera nécessaire de modifier la structure de certaines phrases.

Des congés payés au compte-gouttes

Tokyo. — Il n'est guère probable que l'économie japonaise soit, comme celle de la France par exemple, paralysée en août. Ce que ses partenaires occidentaux « perdent » en congés, le Japon le gagne en travail. À l'époque où l'ouvrier français est sur le point de prendre, de plein droit, cinq semaines de repos, les travailleurs japonais sont susceptibles de se voir octroyer, dans la plupart des cas... de zéro à trois jours, dans les meilleurs cas, de cinq à dix et, dans les cas exceptionnels, une douzaine. On est au travail ici quelque deux cents heures de plus par an que dans les autres pays de l'O.C.D.E., et la durée du travail tend à être de plus en plus longue en ces temps difficiles.

L'expression « grandes vacances » n'est pas encore passée dans le langage de la deuxième puissance économique capitaliste ; elle n'est guère plus entrée dans le vocabulaire patronal, et elle est bien peu employée dans les revendications syndicales. La santé du Japon étant due de toute évidence au travail acharné, les congés sont encore vus, par beaucoup de Japonais, comme une sorte de maladie honteuse, une étape vers la décadence. Devant leur augmentation en Occident, les Japonais sont perplexes, c'est le moins que l'on puisse dire, et ils sont bien décidés à faire tout ce qu'il est possible de faire pour ne pas être atteints par la contagion.

D'après le titre d'un article récent, « Les entreprises commencent à donner des congés décents », il est concevable que cet état de choses, jusqu'alors *indécent*, s'améliore progressivement. Il est indiqué, dans une enquête du ministère du Travail, que 10 % des grandes sociétés « prévoient » d'accorder dix jours de congés d'été. Mais 25 % de la main-d'œuvre étant employés par les grandes firmes, c'est donc 10 % du quart des travailleurs qui seront éventuellement concernés. Dans le secteur des P.M.E., qui est constitué de 70 % de l'emploi, la moyenne est de quatre jours et demi avec le quart des entreprises accordant de un à trois jours, et 10 % une dizaine.

D'après *Le Monde*, 16 août 1982.

EXERCICE III.7

ÉLIMINATION DES RÉPÉTITIONS (1)

Éliminez les répétitions en remplaçant les verbes ou les locutions verbales en italique par des verbes différents. Il sera nécessaire de modifier la structure de certaines phrases.

Au Mozambique, la flagellation est de retour. En 1975, l'indépendance avait *mis fin* à ce symbole haï du pouvoir colonial. Une loi du 31 mars 1983 l'a *remis en vigueur*. On *donne* ce châtiment corporel public pour punir « les crimes contre la sûreté de l'État », mais aussi les trafics de devises, la contrebande et le marché noir sauf s'ils ont déjà été *punis* par la peine de mort.

Soucieux de *mettre fin* — par une mesure spectaculaire — à l'indifférence de la population envers la multiplication des délits, les dirigeants mozambicains ont tenté de *donner à croire qu'il était juste d'avoir* recours aux pires pratiques du passé.

Les exécutions sont aussi devenues monnaie courante. Leur justification politique est simple. Pour le régime, *il y a* deux catégories de criminels au Mozambique : les « bandits armés » (les combattants de la Résistance) et « les bandits sans armes ». Dans cette dernière famille de brigands, *il y a* pêle-mêle des spéculateurs, des contrebandiers, etc. « Il n'y a pas plus de différence entre un bandit armé et un trafiquant qu'entre une puce et une tique. Tous deux sucent notre sang et doivent, si nécessaire, être passés par les armes. » Cet amalgame *donnant la possibilité d'*établir une similitude de châtiment, on a étendu dernièrement la peine de mort aux « crimes économiques », et, dernièrement, deux trafiquants et deux criminels de droit commun ont été fusillés en public.

D'après *Le Monde*, sélection hebdomadaire du 26/05 au 01/06/1983.

EXERCICE III.8

ÉLIMINATION DES RÉPÉTITIONS (2)

Éliminez les répétitions des verbes « être » et « avoir ». Vous aurez recours à des verbes de votre choix dictés par le contexte, supprimerez des éléments superflus et modifierez la structure de certaines phrases.

Paludisme : le vaccin de l'espoir

Peut-on *avoir* l'espoir d'*avoir bientôt raison* du paludisme, *qui est* appelé aussi malaria, une maladie *qui est* parasitaire et *dont sont victimes* quarante pour cent de l'humanité, principalement dans les zones tropicales et dont *sont mortes*, en 1980, près d'un million de personnes, *qui étaient* surtout des enfants ? Il semble bien qu'*il soit possible de dire* oui puisque de prochains essais d'un vaccin sur l'homme *viennent d'être* annoncés par des équipes américaines.

En effet, les Américains du groupe *qui est* appelé « groupe de Washington » semblent *être près* du but. Les résultats de vaccinations qu'ils *ont faites* et qu'ils *ont réussies* chez le lapin et la souris à partir d'une protéine *qui est* la réplique exacte d'une protéine du parasite humain *sont publiés* dans la grande revue *Science*. Surtout, ils annoncent que cet été les premiers essais *seront faits* sur l'homme. S'il *est* efficace et peu coûteux, ce vaccin *sera* d'un grand secours et aidera à sauver les populations du tiers monde.

D'après *Le Point*, 27/05/1985.

EXERCICE III.9

ÉLIMINATION DU PARTICIPE PRÉSENT ET DU GÉRONDIF (1)

Éliminez le participe présent ou le gérondif en employant une préposition ou une locution prépositive :

Ex. : 1) Il est retourné à Washington en espérant trouver un compromis.
Il est retourné à Washington dans l'espoir de trouver un compromis.

2) Profitant de ce grand nettoyage, la direction peut enfin s'attaquer aux derniers bastions où survit la nostalgie du passé.
À la faveur de ce grand nettoyage, la direction peut enfin s'attaquer aux derniers bastions où survit la nostalgie du passé.

1) Les sursis sont résiliés, et chaque jour plus nombreux sont ceux qui, ayant l'âge de porter les armes, se cachent ou fuient pour ne pas avoir à combattre leurs frères.

____

2) Le Pakistan, en employant des voies détournées, était en train de se procurer le matériel nécessaire à cette installation.

____

3) Le pouvoir continue à faire régner la répression en ne tenant aucun compte des dispositions de la Déclaration universelle des droits de l'homme.

____

4) Avant de recourir à la morphine ou à des dérivés opiacés, on peut réduire la douleur en recourant à l'électrostimulation, méthode qui donne d'assez bons résultats.

____

5) Je suis sorti de ma cachette, car, en faisant preuve de bonne volonté, j'espérais amadouer les trois hommes.

____

6) Si vous achetez quarante mètres de tissu valant dix dollars le mètre, le revêtement de ce mur reviendra finalement assez cher.

____

7) Mardi, en sortant d'une réunion houleuse, il a été contraint de s'adresser à la presse.

____

8) On escompte une relance rapide de la consommation profitant aux industries nationales de substitution aux importations.

____

9) La méfiance des élus à l'égard des institutions du pouvoir central a progressivement tourné, les mois passant, à la fraude.

___

10) Plusieurs milliers de personnes ont défilé pendant des heures en faisant entendre un concert de cris, de slogans et d'avertisseurs.

___

EXERCICE III.10

ÉLIMINATION DU PARTICIPE PRÉSENT ET DU GÉRONDIF (2)

Remplacez le participe présent ou le gérondif par un adjectif (ou un participe passé) ou par un substantif précédé ou non d'une préposition. Modifiez au besoin le reste de la phrase.

1) Le dernier chapitre contenant une dizaine de pages est le plus intéressant.

___

2) Âgé alors d'une soixantaine d'années, le roi avait acquis une grande autorité résultant de longues années de lutte.

___

3) Partout en Grande-Bretagne s'implantent des sujets de l'ancien empire. Ils sont deux millions aujourd'hui provenant des Antilles, de l'Inde, du Pakistan, du Bangladesh, etc.

___

4) La rumeur voulant que Debuis fût mort tragiquement avait provoqué de violents incidents dans la capitale.

___

5) Le territoire étant exigu, le rôle de l'industrie est évidemment limité.

___

6) À quoi pense-t-il dans le train filant à trois cents kilomètres à l'heure ? Sans doute au discours qu'il devra prononcer à son arrivée.

___

7) Le dossier établi par l'accusation étant très mince, les peines prononcées au terme de cette procédure expéditive sont très lourdes.

___

8) Réalisé par une firme genevoise, ce rapport vient démolir, en s'appuyant sur des chiffres, le principal argument avancé par certains gouvernements pour justifier la signature des contrats de gaz passés avec l'URSS.

___

9) L'accroissement des vols et des agressions accompagnant l'implantation du terrorisme engendre la peur partout dans le pays.

___

10) Soudain trois jeunes hommes font irruption dans le magasin en brandissant des revolvers.

___

EXERCICE III.11

CHANGEMENT D'ÉCLAIRAGE

Remaniez les phrases suivantes de façon que le membre de phrase en italique devienne sujet d'un verbe de votre choix :

Ex. : La guerre véritable est née de combats *sporadiques*.
Des combats sporadiques ont tourné à la guerre véritable.

1) La cohésion du mouvement, contraint de se disperser dans une douzaine d'États avoisinants, a cependant souffert de *cette défaite*.

____

____

2) La constitution du Fonds monétaire africain a remporté l'adhésion enthousiaste de *l'ensemble des États*.

____

____

3) Au terme d'une lecture attentive, les conclusions de cet ouvrage de droit international paraîtront à *certains* exagérément optimistes.

____

____

4) Selon des diplomates, on assisterait actuellement, à cause de la crise économique, à *une sourde lutte autour du pouvoir*.

____

____

5) Le chemin étroit de la démocratie comporte *de nombreux écueils*, dont l'obésité envahissante des bureaucraties.

____

____

6) Le commerce de détail a changé énormément par suite de *l'arrivée en masse, dans les années soixante-dix, d'Indiens, de Pakistanais et d'Arabes*.

____

____

7) La guerre commerciale entre la CEE d'une part, les États-Unis et le Japon d'autre part s'est aggravée avec *la crise provoquée par le premier choc pétrolier de 1973*.

____

____

8) De fortes contraintes s'opposent à *la stratégie d'autosuffisance alimentaire*.

9) La liste des économies sinistrées par la crise financière grossit avec l'*effondrement des prix du pétrole*.

10) Dans « Les Raisins de la colère », la révolte contre un système social devenu intolérable est présentée par le biais du *camion brinquebalant qui transporte la famille de Tom Joad vers la terre promise de Californie*.

EXERCICE III.12

TRANSFORMATION DU SUJET EN COMPLÉMENT

Recomposez les phrases suivantes de manière que le sujet devienne le complément d'un verbe différent employé à la forme active. Vous choisirez le nouveau sujet parmi les éléments de la phrase donnée :

Ex. : Toutes les conversations ont pour objet l'arrivée au pouvoir des socialistes.
L'arrivée au pouvoir des socialistes défraye toutes les conversations.

1) En Afrique du Sud, 80 % de l'énergie provient de l'eau et du charbon.

2) La volonté des deux pays d'ouvrir une ère nouvelle apparaît dans la signature de multiples accords.

3) Sa joie se laisse voir à un éclat furtif qui traverse ses yeux gris.

4) Les grandes compagnies pétrolières doivent relancer la recherche en raison de la nouvelle crise pétrolière.

5) Une communauté islamique existe dans tous les pays d'Asie du Sud-Est.

6) Le même jour paraissait dans le journal dominical une étude sur les risques que le tourisme fait peser sur l'environnement.

7) Le coton et la canne à sucre se cultivent dans une plaine qui s'étend le long du Pacifique.

8) En France, 50 % du marché du magnétoscope est aux mains de Philips.

9) Au XVIIIe siècle, les théâtres se multiplient en Europe.

____

____

10) Chaque été, la station balnéaire se remplit d'une horde d'estivants.

____

____

EXERCICE III.13

TRANSFORMATION DU COMPLÉMENT EN SUJET

Recomposez les phrases suivantes de manière que le complément en italique devienne le sujet d'un verbe ou d'une locution verbale de votre choix :

Ex. : Ce pays aura assez de *ces trois ans de délai* pour rembourser sa dette.
Ces trois ans de délai suffiront à ce pays pour rembourser sa dette.

1) Grâce à *la taxe* sur les boissons alcooliques, Hongkong récolte chaque année un joli pactole.

____

____

2) Déjà, au début du mois, les prix des produits de première nécessité ont augmenté considérablement par suite de *la suppression des subventions de l'État.*

____

____

3) Selon *les spécialistes*, il y aura bientôt sur l'autoroute des Laurentides une moyenne de 36 000 véhicules par jour et par kilomètre.

____

____

4) À *Los Angeles*, il y a un nombre incalculable d'assassinats et d'extorsions de fonds.

____

____

5) La facilité déconcertante avec laquelle les militaires s'emparèrent du pouvoir résulte en grande partie de *la désaffection croissante du peuple à l'égard d'un souverain dépassé par son temps.*

____

____

6) Une volonté tenace et une énergie peu commune se cachaient sous *son aspect frêle et sévère.*

____

____

7) La publication d'une déclaration sur la sécurité de l'Europe et le désarmement a été l'aboutissement de *ces longues discussions.*

____

____

8) Le début d'une phase nouvelle, caractérisée par une reprise non inflationniste et la résorption du chômage, s'annonçait-il avec *l'année 1988* ?

____

____

9) Une nouvelle ère de troubles devait commencer avec *l'invasion mongole*.

____

____

10) À cause des *intérêts divergents des princes locaux et des oppositions existant entre les différentes populations*, le Kurdistan ne pouvait tenter aucune contre-offensive militaire unifiée.

____

____

11) En cas d'affrontement des deux hommes, le président aurait pu passer au deuxième plan derrière *le premier Américain de l'espace, candidat démocrate aux élections présidentielles*.

____

____

12) En janvier 1980, l'Italie devait se voir attribuer *la présidence de la C.E.E.*

____

____

13) D'après *le Premier ministre chinois*, la responsabilité des retards que connaît la coopération économique entre les deux pays ne revient pas qu'aux États-Unis.

____

____

14) Au cours du prochain exercice budgétaire, le gouvernement chinois obtiendrait près de un milliard de dollars américains de *la Banque mondiale*.

____

____

15) Le gouvernement se trouve en butte à *de plus en plus de difficultés économiques*.

____

____

EXERCICE III.14

DIFFÉRENTS MOYENS D'EXPRIMER L'HYPOTHÈSE/L'OPPOSITION*

Dans les phrases suivantes, exprimez l'hypothèse par un moyen autre que la conjonction « si » : emploi de participiales, de constructions infinitives, de substantifs, de modes, de prépositions ou de locutions prépositives, etc.

A. 1) Si on s'en tient aux strictes données chiffrées, on pourrait croire que l'extrême-droite l'a emporté dans l'orientation de la politique étrangère.

____

____

2) Même si l'Iran et l'Irak réduisaient leurs exportations de pétrole, l'approvisionnement des pays consommateurs n'en serait pas menacé.

____

____

3) S'il attendait trop, le Premier ministre pourrait ne pas résister aux coups de boutoir de droite et de gauche.

____

____

4) S'ils avaient eu quelques minutes de retard, le raid aurait échoué.

____

____

5) Si vous avez besoin de quelque chose, appelez-moi.

____

____

6) Même si on multiplie les accords internationaux, cela ne suffira pas à reconstituer les réserves de poisson.

____

____

7) Si ses partenaires européens n'avaient pas insisté, la France n'aurait sans doute pas pris la même décision.

____

____

* Dans cet exercice, nous regroupons, à l'instar de F. Brunot dans *La Pensée et la Langue*, toutes les hypothèses, « qu'elles aient un caractère conséquentiel ou oppositif ».

8) Si le maréchal disparaissait de la scène politique, nul doute que la succession ouvrirait la porte aux déséquilibres les plus graves.

____

____

9) Même si le marché des légumes augmente faiblement, l'entreprise de produits en conserve croît de 15 à 22 % par an.

____

____

10) Un Rothschild ruiné est impossible à imaginer ; même s'il l'était, une armée d'épargnants viendrait aussitôt le supplier de gérer son magot.

____

____

B. 1) On l'a toujours considéré comme un va-t'en-guerre obsédé par les communistes. Pourtant, depuis la semaine dernière, même s'il était obscur et controversé, l'ancien sénateur démocrate est devenu une star de la politique internationale.

____

____

2) Même s'ils sont inadmissibles, les actes de pillage et de vandalisme commis n'ont pas toujours été aussi aveugles qu'on le prétend.

____

____

3) Si le rythme actuel de la dénatalité et de l'exode se poursuit, la survie des Canadiens français n'est pas assurée.

____

____

4) Même s'il n'est pas historique, le dernier conseil atlantique porte des marques originales.

____

____

5) Même si les enfants étaient restés dans le Nord, nous serions partis malgré tout.

____

____

6) S'ils commencent trop tôt l'apprentissage de la lecture, les enfants s'essoufflent.

7) Si le pays se trouvait entouré de puissances hostiles, il pourrait élargir le conflit et créer l'insécurité dans la région.

8) Même si son image devait en souffrir, il est bien décidé à intervenir sur les champs de bataille de la politique.

9) Si on ne connaissait pas le sérieux de la National Sciences Foundation (N.S.F.) américaine, la nouvelle prêterait à sourire.

10) Au total, si on réunit toutes les professions, l'Europe compte environ 1,6 million de ces « nouveaux immigrés » qui possèdent la carte bleue de travailleur européen.

EXERCICE III.15

DIFFÉRENTS MOYENS D'EXPRIMER LA CAUSE

Dans les phrases suivantes, exprimez la cause par un moyen autre qu'une conjonction de subordination : emploi de substantifs précédés d'une préposition, d'épithètes détachées, de locutions prépositives, de signes de ponctuation ou de verbes. Il vous sera nécessaire dans certains cas de remanier la phrase de départ.

Ex. : 1) L'établissement sera fermé du 1er au 30 juin parce que des réparations y seront effectuées.
L'établissement sera fermé du 1er au 30 juin pour réparations.

2) Une partie de l'enseignement est dispensé dans les écoles coraniques parce qu'il n'y a pas d'établissements publics en nombre suffisant.

Faute d'établissements publics en nombre suffisant, une partie de l'enseignement est dispensé dans les écoles coraniques.

1) Elle s'est jetée dans le fleuve parce qu'elle était désespérée.

____

____

2) Comme ils redoutent des raids ennemis, les combattants enterrent soigneusement les cargaisons d'armement.

____

____

3) Comme il n'y a pas d'arme absolue contre le cancer, les efforts se concentrent sur la prévention.

____

____

4) L'insuline est indispensable aux diabétiques puisque c'est elle qui permet au sucre de pénétrer dans les cellules pour les nourrir.

____

____

5) Puisqu'il ne pouvait se faire entendre des autorités, il a créé sa propre association et se met à orchestrer les premières campagnes contre la chasse aux phoques.

____

____

6) Il quitte le Canada parce qu'il y était la cible d'innombrables tracasseries.

____

____

7) Puisqu'il ne pouvait faire autrement, il a fermé boutique.

____

____

8) Comme il est extrêmement maniable, le vaisseau permettra à son équipage de mettre sur orbite des satellites destinés à la surveillance.

____

____

9) Le dimanche anglais ne sera plus le jour le plus ennuyeux de la semaine puisque les magasins et les pubs vont pouvoir rester ouverts le jour du Seigneur.

____

____

10) En 1910, plusieurs personnes se sont suicidées parce que le passage d'une comète à proximité de la Terre avait provoqué chez elles une angoisse intolérable.

____

____

EXERCICE III.16

DIFFÉRENTES FIGURES DE STYLE

Quelles figures de style reconnaissez-vous dans chacune des phrases suivantes ? Comment exprimeriez-vous la même idée sans figure de style ?

1) La Dame de fer britannique a décidé de réduire considérablement le budget de la Royal Navy.

2) Lorsqu'il mourra, H.L. Hunt laissera à ses enfants la bagatelle de plusieurs milliards de dollars.

3) C'est de sa mère, passionnée de théâtre, qu'il a hérité son goût pour les planches.

4) Combien chacun d'entre nous a-t-il eu d'ancêtres vivants en l'an 1200, sachant que vingt-cinq générations ont passé de vie à trépas depuis cette date et que nous avons chacun deux parents ?

5) L'armée est à demi motivée, à demi entraînée, à demi équipée pour des missions à demi évidentes.

6) En France, les appelés sont disponibles, mais ils n'ont pas la tripe tricolore. La patrie ? Elle passe après leurs soucis.

7) Semblables légendes millénaires, quel peuple opprimé n'en a produit ?

8) Contrairement à nombre de prises de positions antérieures, celle de samedi n'a rien pour déplaire à Moscou.

9) La crise économique et la politique du gouvernement Thatcher n'ont rien fait pour arranger les choses.

10) Des conservateurs estiment que le Premier ministre est allé un peu loin dans sa lutte contre les syndicats, et que certaines blessures ont été ouvertes qui seront fâcheusement longues à se cicatriser. D'autres redoutent, au contraire, qu'il n'ose pas vraiment porter, au pouvoir des syndicats, l'estocade qui s'impose.

EXERCICE III.17

EUPHÉMISMES

Relevez les euphémismes contenus dans les phrases suivantes et dites en d'autres termes les réalités qu'ils désignent :

1) On estime que près de 6 % des usagers du métro (ils sont 4 millions par jour) ont voyagé en situation irrégulière.

____

____

2) Cadres : que vous soyez en activité ou en réinsertion professionnelle, cette maison est la vôtre. Aidez-nous à en améliorer le fonctionnement.

____

____

3) L'Autriche est l'un des trois pays d'Europe, avec la Hongrie et la Suède, dont les habitants marquent une préférence pour la mort volontaire.

____

____

4) Ce dont elle s'accusa, ce n'est pas d'avoir transgressé l'interdit des amours irrégulières, c'est, ce faisant, d'avoir jeté une ombre sur le nom que son mari lui avait donné.

____

____

5) Insidieusement, semble-t-il, le recours à la chirurgie natale se systématise. Il tourne même à l'inflation.

____

____

6) L'engouement pour les auteurs nordiques, s'il persiste, ne sera pas alimenté par la découverte d'auteurs contemporains. Il devra plus aux disparus qu'aux vivants.

____

____

7) Le nombre de demandeurs d'emploi en Italie a augmenté de 19,4 % en un an.

____

____

8) Selon un arrêté municipal, les marchands de journaux doivent placer la littérature pour adultes à cinq pieds du sol.

____

____

9) Les conducteurs aux facultés affaiblies sont passibles de la suspension du permis de conduire.

____

____

10) Les dirigeants chinois s'inquiètent de l'aggravation de la crise sociale qui frappe la jeunesse. Il y a, dans les villes chinoises, des milliers de jeunes « en attente d'une affectation ».

____

____

EXERCICE 111.18

CONTRAIRE NÉGATIVÉ

Remplacez le tour affirmatif par un tour négatif. La phrase doit garder le même sens de base.

Ex. : Il a de l'esprit.
Il ne manque pas d'esprit.

1) Il *est possible* que les États-Unis recourent à la force.

2) À Ekofisk, dans la mer du Nord, il *arrive souvent* que les vagues atteignent vingt mètres de hauteur.

3) Les dirigeants *ont avoué* au représentant du gouvernement que ses moindres faits et gestes sont scrupuleusement observés.

4) Cette constatation *reste vraie* aujourd'hui.

5) Le ministre des Affaires étrangères *prise peu* ces discours bruyants et dogmatiques.

6) Le phénomène *se produit aussi ailleurs qu'*à Brixton.

7) Il *est intéressant* de savoir que cette contestation prend de plus en plus pour cible l'armement nucléaire.

8) Les survivants du bombardement de Zahli *se souviendront*.

9) Quand fut constitué, en 1947, le « Grand Pakistan », *tout séparait* les deux provinces du pays, excepté la religion.

____

____

10) Le manque d'harmonie parmi les militants *rend difficile* le ralliement autour d'un candidat unique.

____

____

EXERCICE III.19

PÉRIPHRASES (1)

Remplacez le nom en italique par une périphrase choisie parmi les expressions suivantes :

la capitale de l'automobile
la ceinture du soleil
la cité hanséatique
le continent noir
l'Empire du Milieu
le Nouveau Continent
la perle de l'Empire des Indes
le pays de l'apartheid
le pays de l'Oncle Sam
le royaume hachémite
le septième art
le toit du monde
le tsar de la danse
le Vieux Continent

1) En effet, pour la première fois depuis la mise au pas de décembre, *Gdansk* a été le théâtre d'une manifestation de masse que les forces de sécurité n'ont pu disperser qu'en utilisant des canons à eau, des gaz lacrymogènes et des matraques.

____

____

2) *Détroit*, où règnent les trois « grands » (Ford, General Motors et Chrysler), est devenu la capitale américaine du chômage.

____

____

3) Le groupe de la BAD (Banque africaine de développement) s'attend que soit facilité le drainage de capitaux vers l'*Afrique*.

____

____

4) L'économiste a encore fait des siennes en affirmant mordicus qu'il était vain d'attendre une nouvelle baisse des taux d'intérêt aux *États-Unis*.

____

____

5) L'île de *Ceylan* est devenue un enfer. Colombo fume encore des pires affrontements raciaux que Sri Lanka ait connus depuis son indépendance.

____

____

6) Le gouvernement de l'Inde a réagi vivement à l'ouverture du col de Khunjerab situé à 4620 mètres sur la route du Karakoram qui traverse l'*Himalaya*.

____

____

7) Les équipes soviétiques et françaises se sont partagé les médailles d'or sous l'œil des émissaires japonais venus espionner l'*Europe* avant les prochains championnats du monde de Moscou.

____

____

8) Selon un quotidien jordanien, les visiteurs en provenance de Cisjordanie verraient la durée de leur séjour en *Jordanie* réduite à un mois.

____

____

9) Par une de ces impulsions divinatoires, *Serge de Diaghilev* engagea Balanchine comme chorégraphe en remplacement de Bronislava Nijinska.

____

____

10) Ce cinéaste invente une richesse d'éclairages qui renvoie les artifices usuels à la préhistoire du *cinéma*.

____

____

EXERCICE III.20

PÉRIPHRASES (2)

Remplacez les mots en italique par une périphrase courante :

1) Le pétrole du Nord-Est devait apporter un soulagement sous forme de devises. Malheureusement, la récession mondiale, les difficultés de production en Chine même ont déçu les espoirs mis dans le *pétrole*.

2) Le *dollar* avait à l'époque effectué un bond extraordinaire de 85 %.

3) Deux sociétés pétrolières ont lancé une campagne d'exploration afin de découvrir si le sous-sol de *Paris* ne présentait pas de gisements exploitables.

4) Depuis le début de l'été, l'homme fort du régime post-maoïste était l'objet d'un culte de la personnalité semblable à celui qui avait encensé *Mao*.

5) Pendant l'hymne national, l'équipe des États-Unis faisait, à chaque fois que les Américains remportaient une médaille, un tour d'honneur du stade en brandissant comme un trophée le *drapeau national*.

6) Pékin exige la reconnaissance inconditionnelle de sa souveraineté sur le « rocher stérile » [Hong Kong] arraché à *la Chine* par les canons des guerres de l'opium au XIXe siècle.

7) La partition de 1947 a tracé au milieu du Bengale, dont le peuple était l'un des plus cultivés de l'*Inde*, une frontière qu'ont dû traverser dans les deux sens des millions de malheureux.

8) Les succès européens dans la compétition technologique internationale ne réduiront pas le chômage. La course à la modernité n'aurait-elle pour but que de tenir tête *au Japon* et à l'empire américain ?

____

____

9) Le ministre de l'Industrie et du Commerce du Canada s'est rendu hier à *Toronto*.

____

____

10) Selon Voltaire qui, lui, vécut au *XVIIIe siècle*, le XVIIe fut un « siècle de grands talents et non de lumières ».

____

____

EXERCICE III.21

FIGURES DE STYLE DANS UN TEXTE

Amusez-vous à repérer dans le discours emphatique suivant, extrait des actes du premier congrès de la langue française au Canada (1912), au moins un exemple de chacune des figures suivantes :

— anaphore
— antiphrase
— antithèse
— euphémisme
— hyperbole
— métonymie
— périphrase
— question rhétorique ou fausse question
— prosopopée
— synecdoque

« Messeigneurs,

Mesdames, Messieurs,

« Pendant ce Premier Congrès de la Langue française au Canada, alors que les aînés, les chefs de notre race, se réunissaient pour étudier notre situation, faire le recensement de nos forces, panser les blessures, et poser les jalons du chemin à parcourir, nous les jeunes, nous les conscrits, qui demain peut-être aurons à lutter pour rester fidèles à notre grand passé, nous ne pouvions rester indifférents à tant d'inoubliables manifestations de patriotisme et de foi. Si notre place n'était pas dans l'état-major, pour l'élaboration des plans, nous n'en avions pas moins nous aussi un double devoir à remplir : rendre hommage aux aïeux et jurer de toujours rester catholiques et français. Voilà pourquoi nous sommes venus ici.

« En ces jours de manifestations vitales, pouvions-nous, ailleurs mieux qu'en ces lieux, teints du sang de nos ancêtres, manifester notre admiration pour leurs héroïques exploits ? Y avait-il un endroit qui pût nous engager fortement à faire survivre, dans le Nouveau Monde, malgré les fortunes contraires et les allégeances nouvelles, le génie de notre race, plus que cette plaine de Sainte-Foy ? Quel monument eût pu parler avec plus de force à nos cœurs, stimuler nos plus nobles ambitions et nous enivrer de plus belles espérances que ce monument élevé aux héros de la grande revanche ? N'est-ce pas ici, en effet, il y a cent cinquante-deux ans, que l'âme française d'Amérique, un moment défaillante malgré tant de dévouement et de gloire, se ressaisit et, au vigoureux coup de sabre de Lévis, s'élança à la conquête de son avenir ?

« L'année 1759 avait sonné, terrible, pour la petite colonie du Saint-Laurent. [...] Sur Québec, où hier encore flottait, victorieux, l'étendard de la France, se déployait maintenant le drapeau d'Albion.

« Tout était-il donc fini ? L'âme française avait-elle vécu ? Son dernier souffle était-il descendu dans cette tombe où maintenant dormait à jamais l'illustre marquis ? [...]

« Non, l'âme française en Amérique n'était pas morte et n'allait pas mourir. Pendant que l'invincible Chevalier, après avoir vengé l'honneur des armes et du nom français, s'en va porter au Roi le serment d'amour du peuple canadien, lui, le pauvre petit peuple « malheureux mais fier, vaincu mais indompté » (David), seul désormais, sous l'œil de Dieu, luttera pour la vie. Et malgré les fortunes contraires et le despotisme vainqueur, en dépit des tentatives d'assimilation et d'anéantissement, sous le drapeau qui était venu pour le conquérir ou l'anéantir, il continue l'œuvre de propagation catholique et de génie français qu'il avait commencée sous le drapeau de sa mère patrie bien aimée. [...]

« Jeunes Canadiens français et Acadiens, mes compatriotes, vous tous qui, sur les bords de la Rivière-Rouge ou dans les immenses plaines de l'Ouest, êtes des propagateurs de l'idée catholique et française ; vous tous, nobles descendants du peuple martyr, qui accourez des vallons enchanteurs de l'Acadie ; vous tous, frères, qui vivez sous un drapeau voisin, et qui, là-bas, gardez en vos cœurs ce qui fit la vaillance de nos aïeux ; nous tous qui grandissons sur les bords du Saint-Laurent, à l'ombre de nos clochers magnifiques, emplissant nos yeux de ces paysages grandioses, nourrissant notre esprit des gestes des ancêtres, dans un transport d'enthousiasme, mêlons nos voix et jurons de toujours rester fidèles à notre grand passé d'honneur, de patriotisme et de foi. [...]

« Et maintenant, mes chers compatriotes, écoutez !... Écoutez cette voix qui passe à travers la brise et qui répond à notre serment. Écoutez, c'est la voix des Plaines d'Abraham et de Sainte-Foy. C'est la voix du soldat tombé au champ d'honneur ; c'est la voix de Montcalm et de Lévis ; c'est la voix de Frontenac, de d'Iberville, de Dollard et de ses héros ; c'est la voix du passé, la voix de nos ancêtres, de ces chevaliers de la croix et de l'épée, de ces hardis et intrépides colons, de ces braves habitants aux bras robustes et au cœur sain. Jeunes compatriotes, c'est la voix de la patrie qui nous crie : « Canadien français, contre qui voudrait te la ravir, défends ta langue ; contre qui voudrait l'asservir, libère ton âme catholique et française, et l'avenir t'appartient ! »

QUATRIÈME PARTIE

CONCISION, ÉQUILIBRE ET ENCHAÎNEMENT

EXERCICE IV.1

ÉPITHÈTE DÉTACHÉE*

À partir des phrases données, composez une phrase simple comprenant un seul verbe conjugué et une ou plusieurs épithètes détachées dont vous préciserez la valeur (cause, opposition, condition, hypothèse, lieu, temps, addition, etc.) :

Ex. : Ce sondage porte sur un échantillon représentatif de la population adulte. Il a été réalisé du 1er au 5 février.

Ce sondage, réalisé du 1er au 5 février, porte sur un échantillon représentatif de la population adulte. (temps)

1) L'électricité est déjà essentielle aujourd'hui. Demain elle deviendra vitale.

____

____

2) Je suis retourné à mon hôtel et j'ai alors pris une tasse de thé avant de filer à Carnegie Hall.

____

____

3) La direction du musée se remet mal du vol d'une épée royale sertie de diamants et, par prudence, ferme les salles difficiles à surveiller.

____

____

4) On peut voir le Château Laurier du canal et il ressemble alors à un château de conte de fées.

____

____

5) Deux témoins ont entrevu le sous-marin fantôme pendant quelques secondes et ce dernier a disparu ensuite dans la brume.

____

____

6) La scène internationale s'assombrit. Elle avait été étonnamment sereine jusqu'à ces derniers jours.

____

____

* Comme certains grammairiens, nous appelons « épithète détachée » un adjectif qualificatif ou un participe passé séparé, par une pause, du nom ou du pronom auquel il se rapporte. (L'adjectif en position détachée est aussi appelé adjectif apposé ou en apposition.)

7) L'aéroport de Mirabel n'est pas relié à Montréal par un moyen de transport rapide et pratique. Sinon il ferait moins l'objet de critiques.

---

8) Les pirates des ondes commencent à se rebeller. La loi sur les radios privées locales les empêche d'émettre leurs programmes.

---

9) Le jersey B. ne se froisse pas, ne se déforme pas et il est souple. Il vous permettra de finir votre journée comme vous l'avez commencée : avec élégance.**

---

10) Le prince suit la lente descente de l'Union Jack sous les regards attendris de mammas noires opulentes et de ladies poudrées. Il est sanglé de blanc et porte un sabre au côté.

** La phrase d'arrivée contiendra deux verbes conjugués.

EXERCICE IV.2

REMPLACEMENT DE LA SUBORDONNÉE PAR UNE ÉPITHÈTE DÉTACHÉE*

Remplacez la proposition subordonnée par une épithète détachée convenablement placée et remaniez, au besoin, le reste de la phrase :

Ex. : Pour les États-Unis, qui n'ont plus leurs centres d'écoute en Iran, ce revirement est providentiel.
Pour les États-Unis, privés de leurs centres d'écoute en Iran, ce revirement est providentiel.

1) Les Américains, qui ont subi des déboires en Iran, cherchent en Égypte les points d'appui permettant à leurs forces de se déployer en cas de besoin vers le golfe Persique, l'Arabie ou l'Afrique orientale.

____

____

2) Le dictionnaire Hachette, dont Roland Barthes a rédigé la préface, est l'un des grands dictionnaires français.

____

____

3) Le secrétaire d'État, que les uns traitaient de « faucon », les autres de capricieux et d'inconstant, semblait inamovible.

____

____

4) « Elles voulaient que je déclare la loi anticonstitutionnelle ! » soupire le juge, que tant d'incompréhension attriste.

____

____

5) Comme ils n'ont pas d'armements efficaces, les résistants, malgré leur courage, sont incapables de mettre en péril l'armée ennemie. Leurs leaders, qui s'opposent sur plusieurs points, donnent l'image d'irrédentistes séparés par des abîmes d'incompréhension religieuse, idéologique et tribale.

____

____

____

6) En août, les États-Unis, qui redoutent visiblement de perdre leur bastion oriental, lèvent leur embargo.

____

____

* Voir note page 91.

7) Son père, qu'écrasaient les difficultés matérielles, s'était mis à boire.

8) Une fois qu'ils sont en treizième année, beaucoup de jeunes Ontariens décident de poursuivre leurs études à l'université.

9) L'ancien premier ministre, qui voulait ménager les susceptibilités de certains clans, avait lancé à leur adresse un appel à la solidarité nationale.

10) Des milliers de fidèles évangélisateurs apportent leur soutien aux candidats conservateurs et prennent pour cible les libéraux. Le sénateur de l'Alaska, qui a été battu aux primaires, a été l'une de leurs victimes.

EXERCICE IV.3

REMPLACEMENT DE LA SUBORDONNÉE PAR UN SUBSTANTIF (1)

Remplacez le verbe ou la locution verbale de la subordonnée par un substantif et modifiez le reste de la phrase en conséquence :

Ex. : Le prisonnier a fait deux grèves de la faim pendant qu'il était en prison.
Le prisonnier a fait deux grèves de la faim pendant son incarcération.

1) Le conseil général émettra un vœu sur le statut de l'île quand prendra fin le délai transitoire.

____

2) Porte-parole de la bourgeoisie nationale, la ligue souhaite que soit mis sur pied un régime libéral moderne.

____

3) Dès qu'il est arrivé au pouvoir, le nouveau sultan a lancé d'amples réformes.

____

4) Le livre blanc aboutit à la conclusion qu'il est nécessaire d'accroître la production d'énergie nucléaire.

____

5) Ils proclamaient que les Israéliens avaient droit à la sécurité et les Palestiniens à l'autodétermination.

____

6) Les Indiens constatent, sur les marchés, que certaines denrées ne sont pas livrées en quantités suffisantes et que les prix augmentent de façon vertigineuse.

____

____

7) Les particuliers, comme les patrons, n'admettent guère que l'État s'immisce dans leur vie privée ou dans leurs affaires.

____

8) Nous ne pouvons accepter qu'un tel verdict soit aussi injuste.

____

9) Les services de renseignements prévoient que les actions terroristes vont reprendre de plus belle.

____

10) Ils ne sauraient supporter que des commandos de représailles pénètrent sur leur territoire.

____

EXERCICE IV.4

REMPLACEMENT DE LA SUBORDONNÉE PAR UN SUBSTANTIF (2)

Remplacez la proposition subordonnée par un substantif précédé d'une préposition ou d'une locution prépositive.

Ex. : Beaucoup de jeunes se droguent sans que leurs parents le sachent.
Beaucoup de jeunes se droguent à l'insu de leurs parents.

1) À Banff, vous trouverez des hôtels dont les prix conviendront à votre bourse.

____

2) Quand on considère le désastre d'El-Asnam, on peut s'interroger sur l'efficacité des mesures parasismiques.

____

3) Devant la question du journaliste, le ministre, qui ne trouvait plus d'arguments, est resté coi.

____

4) Alors que tout autour de lui les flashes crépitent, le prix Nobel de médecine porte le combiné à son oreille : Stockholm est en ligne.

____

5) À mesure que les années passent, l'aventure scientifique devient de plus en plus exaltante.

____

6) Comme il n'a pas les moyens de faire autrement, le savant réalise greffes, analyses sanguines et ponctions de moelle dans son propre bureau.

____

7) Comme le frère du Président insistait, il a accepté de recevoir le chargé d'affaires de Libye.

____

8) Puisqu'on n'assiste à aucun débat d'idées, la campagne électorale se réduit à un combat personnel entre les deux candidats.

____

9) L'existence de ce mouvement a été officialisée par l'arrivée dans l'île d'un ancien député qui cherchait une circonscription électorale.

____

10) On peut être fatigué si on n'a pas assez de magnésium.

____

EXERCICE IV.5

REMPLACEMENT DE LA SUBORDONNÉE PAR UN SUBSTANTIF EN APPOSITION

Remplacez la proposition relative par un substantif en apposition :

Ex. : Gabrielle Roy, qui a écrit *Bonheur d'occasion*, est née au Manitoba.
Gabrielle Roy, auteure de *Bonheur d'occasion*, est née au Manitoba.

1) Bokassa, qui avait causé lui-même ses malheurs, a été condamné par le monde entier.

___

2) La pluie et le vent, qui marquent le début de notre interminable hiver, se sont abattus la semaine dernière sur la région d'Ottawa.

___

3) Andreas Banf, qui a découvert le fameux élixir, se terre dans un trou perdu au fin fond de la steppe.

___

4) Carrington, qui s'est illustré au cours de la Seconde Guerre mondiale, devient premier lord de l'Amirauté en 1959.

___

5) Le père, qui joue très bien au poker, s'enrichit aux cartes... et joue, au cours des années vingt, des puits de pétrole situés dans l'Arkansas.

___

6) La nomination de l'ancien guérillero, qui soutenait passionnément les révolutionnaires latino-américains, inquiétait Washington.

___

7) Hernan Siles Suazo, qui avait préparé la réforme agraire, bénéficiait de l'appui d'une grande partie de la population bolivienne.

___

8) La vieille dame, qui a assisté à de nombreuses manifestations du même genre, reste sereine.

___

9) Les Américains, qui défendent la loi du marché et un libéralisme économique sans frein, voient d'un mauvais œil qu'un gouvernement européen représente les citoyens les plus défavorisés.

___

10) Le récit du lieutenant-colonel Tejero, qui est à l'origine du putsch, était pourtant confidentiel et destiné à la seule instruction judiciaire.

___

EXERCICE IV.6

REMPLACEMENT DE LA SUBORDONNÉE PAR UNE LOCUTION ADJECTIVALE

Remplacez la proposition relative par une locution adjectivale constituée d'une préposition et d'un substantif accompagné au besoin d'un adjectif.

Ex. : Nous discuterons la prochaine fois des points qui sont actuellement l'objet de contestation.
Nous discuterons la prochaine fois des points en litige.

1) Un accord qui ne porte que sur les points essentiels vient d'être signé entre les deux pays.

___

2) Les naufragés tentaient de gagner la Floride sur un radeau qu'ils avaient construit avec des morceaux de bois trouvés ici et là.

___

3) En fait, Européens et Américains cachent mal leur déception sous les sourires qu'imposent les usages.

___

4) En Allemagne, les Soviétiques ont lancé une campagne qui atteint une ampleur exceptionnelle.

___

5) C'était une aventure qui ne devait pas avoir de suite.

___

6) Ses jugements qui allaient droit au but ont régulièrement mis dans l'embarras le département d'État.

___

7) Ces propos, tenus par un parlementaire allemand qui jouit d'une certaine réputation, traduisent le sentiment de nombreux députés du Parlement européen.

___

8) Elle vouait une admiration que rien ne freinait à la littérature américaine moderne.

___

9) Une caméra de télévision, qui est en train d'être expérimentée en Grande-Bretagne, perce les rideaux de fumée et permet au pompier de repérer les victimes.

___

10) Le 22 décembre, le directeur, qui était disposé à faire preuve de générosité, remit à chaque employé une enveloppe contenant cinquante dollars.

___

EXERCICE IV.7

REMPLACEMENT DE LA SUBORDONNÉE PAR DES MOYENS DIVERS

Supprimez les propositions subordonnées au moyen d'adjectifs, de substantifs, etc.

1) Les sondages avaient prédit que Ronald Reagan serait vainqueur de Jimmy Carter.

____

2) Son père, un Irlandais qui avait un faible pour le whisky, vendait des chaussures.

____

3) Interrompues il y a un mois après un an de discussions qui n'ont porté aucun fruit, les négociations sur l'autonomie vont recommencer.

____

____

4) Une sorte de torpeur, que les uns trouvent agréable et les autres amère, a suivi l'annonce du 30 mai.

____

5) À l'époque, un tel mouvement, que les conditions de l'après-guerre expliquent, déboucha sur une formation qui se faisait gloire de sa dépolitisation.

____

____

6) Les musulmans sont un peu plus de un million en Thaïlande, dans les provinces qui jouxtent la Malaisie.

____

7) Trois mois avant que ne commencent officiellement les négociations de Genève, le grand marchandage soviéto-américain sur les euromissiles allait déjà bon train.

____

____

8) Les pays qui font partie de la Communauté économique européenne auraient décidé de contribuer, pour près de la moitié, au financement d'un programme qui vise à secourir deux millions cinq cent mille Cambodgiens.

____

____

9) Bientôt, le chiffre de ceux qui veulent partir s'élève à quatre mille.

____

10) Les Européens estiment qu'il est temps d'adopter une politique différente.

____

EXERCICE IV.8

ÉLIMINATION DE LA SUBORDONNÉE

Éliminez la proposition subordonnée par des moyens divers. Il sera parfois nécessaire de remanier toute la phrase :

1) Ces multiples sociétés accueillent des diplômés qui viennent de sortir des écoles de commerce.

2) C'est un marché dont ne bénéficie guère l'industrie locale.

3) On déplore la mort de M. Brossart dont la voiture piégée a explosé sur la route de l'aéroport.

4) Des soldats lourdement armés montent la garde devant les excavations des maisons dynamitées parce qu'elles avaient servi à abriter les terroristes.

5) Le président aurait, selon des sources diplomatiques officieuses, conclu un accord avec des capitales étrangères pour qu'on en reste au statu quo.

6) Les émeutes mettent en lumière l'ampleur d'une crise raciale qu'une crise économique dramatique rend encore plus pénible.

7) Les experts s'attendent que le volume des échanges entre les deux pays atteigne, l'an prochain, 5 milliards de dollars alors qu'il n'était que de 1,2 milliard il y a deux ans.

8) Les scandales sont pour quelque chose dans le fait que la popularité du président a diminué graduellement.

9) Au moment où il commence à travailler, un ouvrier spécialisé est payé 200 dollars par mois.

____

____

10) Paysans et ouvriers ne croient plus que la réforme agraire et l'autogestion promises verront le jour.

____

____

EXERCICE IV.9

ÉLIMINATION DES ÉLÉMENTS SUPERFLUS (1)

Dans les phrases suivantes, éliminez les éléments superflus en utilisant, au besoin, certains signes de ponctuation :

1) Depuis 1957, date à laquelle avait eu lieu la prise du pouvoir par François Duvalier, c'était plus de un million de Haïtiens qui avaient tenté de fuir, en s'expatriant, l'oppression et la misère qui régnaient dans leur pays. Ceux qui, parce qu'ils avaient été expulsés de la république Dominicaine, devaient rentrer au pays étaient accueillis à coup de matraque par la milice de Duvalier.

2) À Big-Sur, Henry Miller hébergea chez lui un ami des folles années parisiennes, l'astrologue Conrad Moricand.

3) Mon compagnon de malheur et moi sommes poussés dans l'un des petits bureaux de l'aéroport qui ont été aménagés en cellules. La porte reste ouverte, mais un militaire, qui porte une mitraillette à la hanche, nous surveille.

4) Henri Coulonges, qui a obtenu le grand prix du roman de l'Académie française, traite, dans *L'Adieu à la femme sauvage*, le thème de l'errance et de l'épouvante.

5) C'était la preuve qu'au Québec, s'il n'y avait pas encore de vainqueur, il y avait d'ores et déjà un perdant qui était le parti de la peur.

6) La mer du Nord est souvent mauvaise et les creux de neuf mètres n'y sont pas rares. Les techniciens le savent. C'est pourquoi les plates-formes de forage sont conçues pour résister à des vagues de 30 mètres de haut et à des vents de 220 kilomètres à l'heure.

7) À partir de la semaine prochaine, les consommateurs devront payer plus cher pour se procurer une douzaine d'œufs.

8) New York est la plus grosse agglomération industrielle des États-Unis ; on recense parmi la population un million six cent mille ouvriers qui y travaillent.

9) En mai, un agent de la centrale nucléaire tombe malade. Le diagnostic est clair : il a l'asbestose. Aussitôt, un contrôle médical serré est effectué sur les trente-sept employés de la centrale. Les résultats sont inquiétants, à savoir que douze personnes doivent subir des examens complémentaires poussés et que quatre sont à coup sûr gravement atteintes.

10) Si les émirs du Golfe et les princes d'Arabie Saoudite étaient inquiets, c'était parce que l'effondrement du régime de l'ex-chah, le coup de force soviétique en Afghanistan et la rébellion de la Mecque avaient sonné l'alarme dans cette région vitale pour l'Occident.

EXERCICE IV.10

ÉLIMINATION DES ÉLÉMENTS SUPERFLUS (2)

Éliminez, dans le texte suivant, les éléments superflus en vous contentant de supprimer certains mots ou membres de phrases ; quelques suppressions entraîneront des changements mineurs (ex. : introduction d'un nouveau signe de ponctuation, d'une préposition, d'un adjectif possessif, etc.) :

Pour la deuxième année de suite, le Zimbabwe subit la pire sécheresse qu'il ait connue depuis 1947. Celle-ci frappe gravement le sud et le sud-ouest du pays, qui sont voués à la culture et à l'élevage, tandis que les hauts plateaux du Centre et du Nord restent mieux arrosés. En 1981, la récolte de maïs, avec les 2,5 millions de tonnes qu'elle avait rapportées, avait atteint un record historique. Le surplus représentait 1,7 million de tonnes. En 1982, elle a diminué de moitié et, cette année, elle devrait tout juste couvrir les besoins nationaux, à savoir environ 900 000 tonnes.

Dans la province du Matabeleland, qui est troublée depuis un an par une dissidence armée, l'insécurité aggrave les effets de la sécheresse. Depuis de longs mois, la majorité des villages du nord de la province, qui sont sinistrés *de facto*, dépendaient totalement des secours alimentaires qu'on devait leur apporter. Or ceux-ci ont été suspendus dans les régions qui sont peuplées de paysans qui étaient soupçonnés de sympathie envers les rebelles. Ce « chantage à la faim » a obligé certains villageois à se nourrir d'herbes. Le ravitaillement en farine de maïs, qui est la nourriture de base, vient d'être rétabli dans certaines zones du Matabeleland.

La sécheresse qui sévit au Zimbabwe pourrait avoir de graves répercussions régionales, car nombre de pays voisins envisageaient d'acheter au gouvernement de Harare le maïs qui leur manque. En 1981 et 1982, en ayant recours à l'entremise du programme alimentaire mondial (PAM), le Zimbabwe exporta ses surplus céréaliers vers une quinzaine de pays africains. Étant donné que ses stocks sont cette année en voie d'épuisement, il lui sera donc plus difficile d'assumer ce rôle, qui est à la fois crucial et rentable, d'être le « grenier à maïs » de l'Afrique noire.

D'après *Le Monde*, 27/05/83.

EXERCICE IV.11

CHARNIÈRES

Dans le texte suivant, des charnières ont été omises. Remplacez les blancs par une charnière convenable. (Il sera nécessaire de faire, au préalable, le plan du paragraphe.)

Le temps n'est plus où les techniciens de l'économie et de la finance réduisaient le progrès à l'expansion économique et envisageaient celle-ci essentiellement, sinon exclusivement, sous l'angle de l'exploitation des ressources matérielles. Aujourd'hui, chacun reconnaît que l'utilisation rationnelle des ressources matérielles est tributaire de la mise en valeur des ressources humaines. Nombreux sont les pays favorisés par la nature qui voient une part importante de leur population maintenue dans la misère parce que cette population, ignorante, est incapable de tirer parti des richesses naturelles qu'elle possède. ____________, il est des pays au sol et au climat ingrats qui, grâce à la compétence de leurs habitants, ont accédé à la plus grande prospérité. ____________ l'éducation et la science figurent désormais au nombre des investissements fondamentaux. ____________ ce n'est pas en cherchant à importer le savoir et le savoir-faire du dehors qu'on favorise l'essor harmonieux d'un pays. ____________, pour peu que les connaissances soient adaptées aux conditions locales, que les populations soient suffisamment réceptives et qu'on puisse fournir un minimum de matériel, cette « importation » permet d'obtenir assez rapidement des résultats tangibles. Son utilité pratique et la manière dont elle se prête à la coopération internationale justifient son application, sur une large échelle, par les organisations du système des Nations unies. ____________, ce serait une grave erreur de penser que les transferts de connaissances et de techniques peuvent suffire à transformer l'économie et l'état social des pays défavorisés. L'éducation engendre son propre progrès, et la base d'un développement endogène est moins le transfert des connaissances, si utile, voire nécessaire, soit-il, que l'implantation et l'organisation de la science dans la contexture de la réalité socio-culturelle. ____________ l'éducation, la science, la culture font-elles l'objet d'une revendication générale des peuples en voie de développement tant pour leur valeur intrinsèque que comme instruments indispensables des changements de structures et d'attitudes que requiert tout progrès. ____________ on saisit dans le concret la profonde vérité de la fameuse formule, si souvent répétée, que l'homme est l'agent et la fin du développement.

D'après René Maheu, extrait de
« Le système des Nations unies, L'UNESCO »,
Grand Larousse encyclopédique.

EXERCICE IV.12

ENCHAÎNEMENT DES IDÉES

À partir des renseignements suivants donnés dans l'ordre chronologique, rédigez la notice nécrologique de la personne en question (5 ou 6 phrases) :

— Jean Bommart naît à Douai, dans le département du Nord, en 1894.
— Il fait des études de droit et de commerce.
— Il est journaliste à l'agence Havas.
— Il est attaché de presse à la légation de France à Belgrade.
— Il commence une carrière bancaire.
— Il interrompt cette carrière pour se consacrer à la littérature.
— En 1934, il obtient le Prix du roman d'aventures pour *Le Poison chinois*.
— « Poison chinois » est le surnom de son héros qui est agent secret.
— Ce roman lui vaut une certaine célébrité.
— Il écrit ensuite une demi-douzaine de romans policiers.
— Les éditions du Masque publient la plupart de ces romans.
— Il écrit également des scénarios et des dialogues de films, des pièces de théâtre et de nombreuses pièces radiophoniques.
— Il meurt à Paris le 23 décembre 1979.

D'après *Le Monde*, 04/01/1980.

EXERCICE IV.13

REGROUPEMENT LOGIQUE ET ENCHAÎNEMENT DES IDÉES

Regroupez, dans un ordre logique et en cinq phrases au plus, les idées contenues dans les douze phrases suivantes :

1) Un article de la « Pravda » provoque beaucoup de remous.
2) Cet article a été écrit par Youri Kharlanov.
3) Youri Kharlanov est journaliste depuis trente ans.
4) Il a cinquante et un ans.
5) Il vit avec sa femme à Paris.
6) Leurs deux filles sont restées à Moscou.
7) L'une des filles est fonctionnaire et l'autre étudiante.
8) Youri Kharlanov a été en poste dans différents pays francophones d'Afrique.
9) Ensuite, il a été correspondant à Bruxelles.
10) Il a fait une vingtaine de voyages en France avant de se fixer à Paris.
11) Il a fait son premier voyage en France en 1955.
12) Il est en poste à Paris depuis cinq ans.

D'après *Le Nouvel Observateur*, 23/03/1981.

EXERCICE IV.14

ÉQUILIBRE DE LA PHRASE

Récrivez les phrases suivantes afin qu'elles soient mieux équilibrées ; vous vous contenterez de déplacer certains éléments et vous donnerez la raison de votre choix.

A. 1) Des quantités importantes de pétrole ou de gaz, notamment au Mexique et en mer du Nord, ont été découvertes.

____

____

2) Il faudrait parler non des guerres à venir, mais des guerres en cours qui ont été déclenchées sans être déclarées et que des centaines de millions d'êtres humains subissent chaque jour.

____

____

3) Des relations étroites entre la République fédérale et l'ensemble des pays du pacte de Varsovie existent à présent.

____

____

4) Un nuage de fumée noire flottait encore lundi sur le Transvaal, visible du centre de Johannesburg. Des commandos avaient frappé simultanément trois cibles, la veille, peu avant minuit.

____

____

____

5) Le président de la Commission de la défense nationale dresse un bilan optimiste de la situation dans son style à l'emporte-pièce.

____

____

6) La paix israélo-égyptienne accueillie avec hostilité par le reste du monde arabe et promise à l'échec par beaucoup de commentateurs se mue tout doucement en une alliance de fait sous l'aile américaine.

____

____

____

7) Pouvoirs publics, entreprises nationales ou privées, simples citoyens, au début de la décennie, polluaient le ciel, la terre et les eaux, de l'Amérique au Japon, à qui mieux mieux.

8) L'île de Mayotte, avec la générosité de sa nature et sa position de place forte stratégique à l'entrée du canal du Mozambique, n'a cessé de susciter l'envie au cours des siècles.

9) Arguant qu'il s'agissait de travaux techniques, il a affirmé qu'il n'était pas possible à l'administration de prendre une initiative politique comme l'exigeaient les chefs.

10) Il est dommage que les diplomates ne puissent pas plus prédire l'avenir que les autres êtres humains.

B. 1) Des ingénieurs sont partis au-delà des frontières et des océans, désireux de prouver au monde qu'ils n'ont pas perdu la main.

2) Soutenus par l'Algérie et fortement armés par la Libye, les Sahraouis tiennent, depuis cinq ans, en échec la puissante armée chérifienne.

3) Depuis le départ précipité des six mille experts civils et militaires russes de Somalie, en novembre 1977, le port en eau profonde ne servait plus qu'à l'embarquement des chèvres et des chameaux pour l'exportation.

4) Les communistes vietnamiens ont combattu pour chasser les Français et les Américains pendant un quart de siècle avec une opiniâtreté farouche et parvenir à unifier le pays.

5) Les Luxembourgeois ont érigé un nouvel hémicycle pour abriter les sessions qui doit être achevé le mois prochain, à trois cents mètres du bâtiment Schuman.

6) La pratique scandaleuse mais courante des ristournes offertes aux syndics pour mieux leur faire accepter telle ou telle hausse s'ajoute à ces anomalies.

7) Le vendeur et l'acheteur se rendent chacun dans la chambre de l'autre pour vérifier marchandise et paiement à un signal convenu.

8) Les grèves se multiplient dans le pays pendant ce temps, largement suivies, y compris à Gdansk.

9) Il faut le dire : le pigeon est un danger. Cet oiseau roucouleur s'est installé dans les marchés couverts au mépris des règles de l'hygiène, non content de maculer les façades des monuments historiques et de souiller bancs publics et carrosseries.

10) Les industries électriques au Japon, qui représentaient en 1975 environ la moitié de la sidérurgie et 80 % de l'automobile en valeur de production, seront en tête avant la sidérurgie et l'automobile en 1985.

EXERCICE IV.15

DENSITÉ DU STYLE

Pour donner plus de densité au texte suivant, supprimez les éléments superflus et éliminez certaines subordonnées à l'aide de substantifs, d'adjectifs, etc.

En général, le citoyen moyen lit presque tous les jours un journal quotidien, mais il ne lit presque jamais de livres et il ne lit pour ainsi dire jamais de livres d'histoire contemporaine. Or, la radio et la télévision, dont le choix est guidé par la recherche systématique du sensationnel, annoncent pêle-mêle une foule d'événements qui se produisent quotidiennement dans le monde. Il est difficile au citoyen ordinaire de s'y reconnaître. On lui apprend de façon désordonnée qu'un président en reçoit un autre, qu'un sommet diplomatique a été décidé, que des élections se déroulent dans tel ou tel pays, qu'un leader vient de mourir, qu'un régime a été renversé par un coup d'État, qu'une révolution ou une guerre civile déchire une nation, que la guerre continue entre deux États. On lui annonce aussi qu'un tremblement de terre vient de ravager telle région du globe, qu'un champion a battu un record ou bien encore que le prix Nobel vient d'être décerné, etc. Comment, à travers ce tohu-bohu, ce fatras, l'homme moyen peut-il suivre, comprendre l'évolution de ce monde cahotique ?

D'après *Le Point*, 20/10/1980.

EXERCICE IV.16

DE LA PHRASE COMPLEXE À LA PHRASE SIMPLE ET VICE VERSA

A. Le texte suivant est composé de deux phrases complexes. Récrivez-le dans un style simple et clair en ayant recours autant qu'il est possible à des propositions indépendantes.

Le poisson est idéal pour le cœur

Si on peut dire que les Japonais et les Eskimos sont les peuples les mieux prémunis contre les maladies cardio-vasculaires, c'est que, d'une part, ils consomment beaucoup de poisson puisqu'ils en mangent tous plus de 100 grammes par jour et que, d'autre part, selon une étude menée en Hollande dans les années 60 et portant sur 852 hommes d'âge moyen, il est prouvé que la consommation de 30 grammes de poisson par jour réduit de 50 % les risques d'infarctus. Alors que nous, nous ne consommons en moyenne que 24 grammes de poisson par jour, il serait bon que nous accordions une meilleure place dans notre alimentation au poisson, qui est déjà connu pour les effets qu'il aurait sur la mémoire.

D'après *Ça m'intéresse*, sept. 1985.

B. Le texte suivant contient neuf propositions juxtaposées ou coordonnées. Réduisez-le à deux ou trois phrases. Vous garderez toutes les idées données.

K... est une compagnie d'« import-export » bulgare. Elle avait joué un certain rôle dans le trafic d'héroïne en Europe et elle avait alors été mise en cause. Elle est maintenant au centre d'un trafic de faux antibiotiques. Ceux-ci sont envoyés dans les pays d'Afrique. Ces faux médicaments sont fabriqués à partir de mélanges d'aspirine et d'amidon. Ils sont dans des emballages imitant parfaitement les vrais et ils sont ainsi vendus à des hôpitaux. Selon certains, la compagnie récolterait de cette façon un milliard de dollars par an.

D'après *Le Point*, 25/03/1985.

EXERCICE IV.17

DU STYLE TÉLÉGRAPHIQUE AU TEXTE SUIVI

Élaborez un texte suivi à partir de cet extrait composé de données rédigées en style plus ou moins télégraphique.

KARATÉ

Origine. *Karaté* signifie : main(té), vide(kara). Art martial mettant en valeur l'emploi des pieds et des poings : **v. 1600** apparut l'Okinawa-Te, méthode où les membres sont employés comme de véritables armes dans l'île d'Okinawa, sous l'occupation japonaise. **V.1920**, le maître Gichin Funakoshi l'introduisit au Japon et fonde sa méthode, le *Shotokan* ; d'autres styles de base sont nés depuis : le *Goju-Ryu* et le *Shito-Ryu* (association japonaise créée en 1948), *Wado-Ryu, Kiokushinkai*.

Caractère. Permet de toucher l'adversaire sans établir un corps à corps. Coups donnés avec poings et pieds en attaques circulaires ou directes tenant compte des principes d'équilibre et de dynamique du corps ; puissance d'impact obtenue par l'utilisation simultanée de différentes parties du corps suivie d'une tension de ces parties au moment du choc. L'efficacité n'est atteinte que par un long entraînement (sur sac ou cibles). Le *kiaï*, cri impressionnant pour le néophyte, correspond à l'expiration profonde au moment de l'attaque ou du blocage.

Règles. Attaques contrôlées en fonction de la violence des mouvements pratiqués. Durée des combats : en moy. 3 et 5 mn pleines ; les adversaires portent une ceinture de couleur en dehors de leur grade normal (pour arbitrage : rouge et blanc). **Pratiquants**. *Monde* : 15 000 000 env.

Dominique et Michelle Frémy, *Quid 1984*, Paris, Éditions Robert Laffont, p. 1552.

EXERCICE IV.18

CONCISION ET PHRASES COMPLEXES

Remaniez le texte ci-dessous de façon à le rendre plus concis. Vous conserverez toutes les idées données, mais les regrouperez dans des phrases complexes. Votre texte sera donc moins « haché » que le texte de départ et plus agréable à lire.

Il y a moins de quinze ans, l'industrie automobile américaine était encore un géant économique à l'échelle de la planète. Elle exerçait presque sans partage sa domination à l'échelle nationale. Personne ne contestait sa suprématie. Depuis lors, cette domination a été remise en question. Ensuite, elle a été en partie sapée. Et ce, sur son propre marché intérieur. Jusqu'à 1967, General Motors détenait 50 % de ce marché, Ford en détenait 30 % et Chrysler 20 %. Ces trois constructeurs étaient le symbole vivant de la prospérité des États-Unis. Ils avaient un potentiel de ventes de quelque 10 millions de véhicules. La seule concurrence qu'ils se livraient portait principalement sur le design et le style (*styling*) des modèles et tous les ans ils apportaient traditionnellement des changements. Pour toutes ces raisons, les trois constructeurs vivaient des temps heureux. La productivité restait forte cependant. De 1957 à 1966, elle était de l'ordre de 4,5 % l'an. En 1966 a été signé un accord avec le Canada, et les débouchés des firmes américaines ont alors été élargis à toute l'Amérique du Nord.

D'après *Le Monde diplomatique*, août 1986.

EXERCICE IV.19

CONCISION

Donnez plus de concision au texte suivant. Votre version contiendra une phrase simple et deux phrases complexes (vous devrez, pour ce faire, transformer un certain nombre de verbes en substantifs).

Dans sa conclusion, le rapport B... examine les effets à long terme d'une explosion nucléaire. À cause de cette explosion, l'ensemble des eaux seraient contaminées d'une façon durable et catastrophique ; elles contiendraient non seulement des matières radioactives mais aussi des virus et des bactéries. En effet, les stations d'épuration seraient détruites et les déchets s'amoncelleraient, ce qui laisserait le champ libre aux virus et aux bactéries. En outre, il serait impossible de réfrigérer les aliments ; ceux-ci seraient donc contaminés par des micro-organismes pathogènes. De plus, il y aurait des millions de cadavres d'hommes et d'animaux. À cause de la putréfaction, il y aurait de multiples épidémies. Celles-ci se propageraient facilement parce que des insectes qui résistent mieux que l'homme aux radiations proliféreraient.

D'après *Le Monde*, 03/08/1983.

EXERCICE IV.20

VARIÉTÉ DES STRUCTURES DANS UN TEXTE

Le texte suivant est constitué de phrases courtes commençant toutes par sujet + verbe. Composez un texte dans lequel vous varierez la structure et la longueur des phrases (minimum 4 phrases, maximum 5). Vous garderez essentiellement les mots du texte de départ, mais vous éliminerez les répétitions de mots ou d'idées et ajouterez des mots de liaison. Vous devez garder toutes les idées du texte.

Sri-Lanka a longtemps été ouvert aux grands courants commerciaux maritimes. Il s'est ensuite refermé sur lui-même pendant la période coloniale. Il était toujours refermé sur lui-même pendant les trente années qui ont suivi l'indépendance. Le gouvernement conservateur de M. Jayewardene est arrivé au pouvoir en 1977. Sri-Lanka a, à ce moment-là, jeté bas toutes les barrières protectionnistes.

Le tourisme a bénéficié considérablement de ces mesures. Il a dès lors été considéré comme un secteur prioritaire. Air Ceylon était l'ancienne compagnie nationale. M. Jayewardene a tiré un trait sur la déconfiture de cette compagnie. Il a décidé de faire de la création d'Air Lanka l'un des trois projets clés du développement de l'île. Il voulait ainsi drainer touristes et hommes d'affaires. L'opération a été menée de main de maître. Singapore Airlines a été appelée à la rescousse. Elle a en quelques mois créé de toutes pièces une nouvelle compagnie aérienne à son image. Elle a signé un accord de coopération de deux ans avec Air Lanka. Les termes de cet accord prévoyaient que la compagnie Singapore Air Lines prêtait à Air Lanka dirigeants, cadres et techniciens.

CINQUIÈME PARTIE

VOCABULAIRE ET STYLE ADMINISTRATIFS

EXERCICE V.1

UN EXEMPLE DE LETTRE ADMINISTRATIVE

Relevez, dans la lettre suivante, les tournures qui vous paraissent caractéristiques du style administratif :

Cher Monsieur,

Au nom de l'honorable E... G..., j'accuse réception de votre lettre du 16 juin concernant la demande de subvention du Service X... pour la mise sur pied de comités régionaux.

Malheureusement, je dois vous confirmer que nous ne pouvons donner suite à votre requête originale, dans le cadre des projets spéciaux du Programme des groupes minoritaires de langue officielle, tel que vous l'écrivait M. B... F..., de notre bureau de Winnipeg. En raison des ressources financières restreintes dont nous disposons, il nous a fallu choisir parmi le grand nombre de demandes celles qui correspondaient davantage aux priorités régionales. C'est pourquoi plusieurs projets valables, dont le vôtre, n'ont pu être retenus.

Toutefois, comme vous le savez, le Secrétariat d'État serait disposé à considérer une demande de subvention d'un montant moins élevé que la première. Si vous désirez soumettre une nouvelle demande, je vous invite à communiquer de nouveau avec M. F... .

Vous pouvez être assuré que M. G... tient à l'épanouissement des collectivités francophones au Canada, mais qu'il doit malheureusement répartir un budget déjà mince entre plusieurs groupes. La porte n'est quand même pas entièrement fermée et nous étudierons votre deuxième demande avec la plus grande attention.

Recevez, cher Monsieur, mes meilleures salutations.

Le Conseiller de direction,

EXERCICE V.2

COMBINAISONS VERBE/SUBSTANTIF (1)

Joignez à chacun des verbes de la liste I un substantif choisi dans la liste II.

I.

acquitter ____________________

contracter ____________________

déclarer ____________________

délivrer ____________________

déroger à ____________________

édicter ____________________

effectuer ____________________

exciper de ____________________

impartir ____________________

imputer ____________________

introduire ____________________

produire ____________________

radier ____________________

rapporter ____________________

ratifier ____________________

régulariser ____________________

résilier ____________________

saisir (qqn de) ____________________

suspendre ____________________

viser ____________________

II.

acte

certificat

contrat

convention

délai

dépense

disposition

document

droit

emprunt

état de service

facture

inscription

loi

mesure

plainte

recours

sinistre

situation

versement

EXERCICE V.3

COMBINAISONS VERBE/SUBSTANTIF (2)

Remplacez les locutions verbales ou les verbes en italique par des locutions verbales ou des verbes plus fréquents en style administratif et choisis dans la liste suivante :

abroger, apposer, biffer, conférer, contracter, déférer, exonérer, produire, notifier, prendre effet, prétendre à, résilier, solliciter, souscrire, suspendre

Ex. : Prière de *rayer* les mentions inutiles.
Prière de biffer les mentions inutiles.

1) *Mettre* une croix dans la case prévue à cet effet au recto de la formule.

____

2) En cas de majoration de la prime, le Souscripteur aura le droit d'*annuler* le contrat dans les conditions prévues à l'article 23.

____

3) Cette résiliation *aura lieu* un mois après la réception de la lettre recommandée.

____

4) Pour obtenir un permis de séjour, vous devez *présenter* un passeport en cours de validité et la justification de vos moyens d'existence.

____

5) Sont admis, entre autres, en équivalence du baccalauréat français le Diplôme d'études collégiales et le Diplôme de fin d'études secondaires accompagnés d'une attestation délivrée par une université canadienne certifiant que le titre *donne* à son titulaire le droit de s'inscrire dans le cycle normal d'études supérieures.

____

6) Les agences de voyages conseillent à leurs clients de *prendre* une assurance individuelle garantissant contre tout dommage matériel ou corporel survenu au cours du voyage.

____

7) Le personnel effectuant des suppléances par intermittence peut *avoir le droit de recevoir* les allocations journalières pendant un mois à compter de la date de cessation de la rémunération par l'administration.

____

8) Sont dispensés du certificat médical prévu à l'article 6 des statuts les membres qui *demandent* leur admission dans les 3 mois suivant leur entrée en fonction.

____

9) Tout licenciement doit être *annoncé officiellement* à l'intéressé par lettre recommandée.

____

10) À défaut du paiement d'une prime dans les dix jours de son échéance, l'Assureur peut, par lettre recommandée adressée au Souscripteur, *mettre fin* provisoirement à la garantie trente jours après l'envoi de cette lettre.

____

EXERCICE V.4

EMPLOI DE SUBSTANTIFS

Recomposez le texte suivant en employant les substantifs donnés dans le désordre et en faisant les modifications nécessaires :

Contre-valeur, instructions, réception, cotisation, renouvellement, (sous) quinzaine, règlement.

Demande de carte de crédit :

Je soussigné ____________ désire adhérer à XXX pour un an à dater de ce jour.

Pour *régler ce que je vous dois*, je vous adresse la somme de ____________ $ (ou *ce que lui correspond* en devises étrangères convertibles).

Quand ce sera le moment de renouveler ma cotisation annuelle, veuillez débiter automatiquement mon compte bancaire — sauf *si je vous avise du contraire dans les quinze jours* qui suivront la date à *laquelle je recevrai* votre avis *pour renouveler ma cotisation.*

EXERCICE V.5

VOCABULAIRE ET STYLE (1)

Remplacez les mots en italique par le terme approprié et faites les modifications nécessaires : (arrêté portant sur les effets et objets mobiliers importés à l'occasion d'un changement de résidence)

être acquitté	franchise	prévu
délai	en franchise	y afférents
en vue de	en vigueur	visé
le présent	admis	porté
au bénéfice de	article	dispositions
fins	à la date	en vertu de

I Dans tous les cas *que prévoit* ___________ *cet* ___________ arrêté, le bénéfice de la *dispense* ___________ doit être demandé au service des douanes.

II Les objets *que l'on admet* ___________ *sans payer de droits de douane* ___________ *en application* ___________ *des points définis par* ___________ *cet* ___________ arrêté ne peuvent être utilisés pour d'autres *choses* ___________ que celles *pour* ___________ lesquelles la *dispense* ___________ a été accordée, sans que *l'on acquitte* ___________ les droits et taxes *qui frappent ces objets* ___________

III L'interdiction que *mentionne* ___________ le paragraphe II ci-dessus est limitée à une *période* ___________ de six mois pour ce qui concerne les objets importés *avec les avantages* ___________ *que prévoient* ___________ *les points* ___________ 10, 15, 19 et 23 ci-dessus. Cette *période* ___________ est *étendue* ___________ à dix ans pour ce qui concerne les objets mobiliers importés *selon* ___________ *ce que prévoit* ___________ l'article 14.

IV L'application des droits et taxes prévue aux paragraphes II et III ci-dessus s'effectue selon le taux *qui est appliqué* ___________ *le jour où sont faites* ___________ les opérations considérées.

EXERCICE V.6

VOCABULAIRE ET STYLE (2)

A. Substituez aux mots en italique un équivalent choisi dans la liste suivante:

diffusion (pour)	intervenir	transmission
dispositions	délai	demande expresse (avec)
concernant	dans le plus bref délai	respecté
impartir	émanant	

Les instructions *qui proviennent* ___________ de la Direction de l'administration du personnel enseignant sont envoyées au ministère des Affaires étrangères qui *devra les distribuer* ___________ *et auquel on demande expressément* ___________ *de les faire parvenir* ___________ aux postes diplomatiques. Ceux-ci sont alors priés de *faire le nécessaire* ___________ *le plus tôt possible* ___________ afin que tous les intéressés soient informés de tous les *points* ___________ *qui les regardent* ___________ Il est demandé également aux postes diplomatiques d'assurer avec vigilance la diffusion de toutes les publications officielles afin que *les périodes de temps* ___________ *allouées* ___________ pour l'envoi de certains documents ou dossiers soient *observées* ___________.

B. Recomposez la phrase suivante pour la rendre conforme au style des règlements. Vous utiliserez une forme passive et, entre autres, les termes suivants donnés dans le désordre:

acte	exécuter	présente
titulaire	en vertu de	ledit
faculté	seul	quiconque

On considère qu'une personne a porté atteinte au droit d'auteur sur une œuvre lorsque cette personne a fait, sans que celui qui possède le droit d'auteur y consente, quelque chose que, selon cette loi-ci, ne peut faire que celui qui possède le droit d'auteur.

____

____

____

____

____

____

SIXIÈME PARTIE

TRAVAUX VARIÉS

EXERCICE VI.1

EXPRESSIVITÉ : DE L'OBJECTIF AU SUBJECTIF

Relatez l'accident ci-dessous (rapporté par *Le Soleil* du 21 mars 1981) en imaginant que vous êtes un(e) ami(e) du noyé. Vous passerez donc du style impersonnel et froid au style subjectif et expressif. Votre texte sera nettement plus long (300 mots) que le passage donné.

OTTAWA (d'après PC) — M. Sylvain Fillion, de Chicoutimi, recevra, à titre posthume, l'Étoile du courage, l'une des plus hautes décorations émises pour saluer la bravoure de son récipiendaire.

M. Fillion s'est en effet noyé en voulant sauver sa jeune nièce d'un sort identique. Âgé de 22 ans, M. Fillion avait plongé dans les eaux du lac Saint-Germain, près de Chicoutimi, pour y rescaper sa jeune nièce qu'il maintint à flot jusqu'à ce qu'il la remette à son père. Mais épuisé, il sombra et se noya. L'accident s'est produit le 13 août 1978.

EXERCICE VI.2

NIVEAU DE LANGUE ET EXPRESSIVITÉ (1)

Dans le passage qui suit de *C't'à ton tour Laura Cadieux* de Michel Tremblay (Montréal, Éditions du jour, 1973, pp. 23-24), une mère raconte comment, dans les couloirs du métro, elle a perdu son fils, alors qu'elle se rendait, accompagnée d'une voisine, chez le docteur. Imaginez qu'un narrateur objectif raconte la même aventure sur un ton neutre et dans un style soutenu.

Moé, quand les shakes me pognent, y'a rien pour me r'tenir... Chus v'nue blanche comme un drap, pis j'me sus mis à trembler comme une feuille. Madame Therrien a sorti sa bouteille de parfum, pis à m'a arrosée... « C'est pas grave, qu'à me disait, c'est pas grave, y'a dû penser à descendre à' station McGill... Y'a ben du monde, là, pis ben des polices, c'est Eaton... Restez icitte, là, vous, pis j'vas prendre le prochain métro, y s'en vient, justement, pis j'vas aller le charcher. Restez icitte, pis attendez qu'on revienne par l'aut'bord... Énarvez-vous pas pour rien, ça se perd pas comme ça, un enfant ! » J'tais même pas capable de réagir. Est montée dans le métro. « Je l'savais, que j'me disais, j'arais jamais dû l'emmener avec moé, c't'enfant-là, y va me rendre folle ! Y va toute r'virer le salon du docteur à l'envers (si on le r'trouve), pis y va t'être tannant comme sept ! » Juste comme madame Therrien embarquait dans l'métro, le p'tit sortait de l'autre qui s'en v'nait en sens contraire, un grand sourire aux lèvres. Y m'a crié de l'aut'bord : « C't'un tour ! J't'ai eue, hein ? » Imaginez ! Six ans ! C'est ben beau d'avoir des enfants éveillés, mais j'ai jamais demandé au bon Dieu de m'envoyer des monstres ! Un tour ! Y'arait pu se faire enlever ! Se faire écraser ! Se faire tuer ! « Monte en haut, p'tit tabarnac, que j'y ai répond, monte en haut tu-suite, pis attends-moé, m'as t'en jouer un tour, moé... M'as te sacrer la plus belle volée de ta vie, mon p'tit calvaire... » Y s'est mis à courir, ça fait que j'ai été obligée de me dépêcher pour le rattrapper [sic] en haut des marches, avant qu'y sorte d'la station pis qu'y disparaisse encore une fois. Place des Arts, pas Place des Arts, j'me sus pas gênée... J'y ai sacré deux-trois claques en arrière d'la tête... « T'aimes ça te faire battre, hein, ben tu vas en avoir pour ton argent ! » Y hurlait comme un pardu, ça fait que j'y ai dit que si y continuait de même, j'farmerais la télévision, chez le docteur, pis qu'y pourrait pas voir Patof... Ça fait qu'y s'est farmé la yeule ben raide. R'marquez que j'l'aurais pas faite. J'manquerais pas Patof pour tout l'or au monde... J'ai mouché le p'tit encore une fois. J'me sus mouchée encore une fois, moé aussi, pis on est sortis d'la maudite station. Justement, y'avait une 80 qui s'en v'nait, ça fait qu'on s'est dépêchés pour la prendre.

EXERCICE VI.3

NIVEAU DE LANGUE ET EXPRESSIVITÉ (2)

Transposez en langue écrite standard l'extrait suivant d'une entrevue avec Plume Latraverse (article qui a paru dans un journal étudiant canadien et dont nous reproduisons l'orthographe).

Avant son spectacle, Plume nous confiait quelques propos entourant son métier, ses influences, ses projets...

— Qu'est-ce que tu penses de l'image que le public se fait de toi ? L'image du Plume et sa bouteille de bière ?

— C'est pas parce que tu bois une bière sur le « stage » que t'es obligé d'être « nono », stie. Y'en a qui en boivent deux, « qui r'virent sur le top », qui cassent des vitres. D'autres qui ont un beau délire qui les ammènent quelque part... J'arrive pas de l'université moé, j'sors de la ruelle.

Immanquablement quand tu déranges quelque chose, que t'es pas le chanteur qui arrive sur un « dolly » dans une boîte, sur scène, tu déranges. Lui y'aura toujours un public « standard ». Il ne provoquera jamais de contreverses, de divergences, d'émeutes... C'est des boîtes de Corn Flakes ou de Catelli à mon avis.

— Qu'est-ce que tu penses de la production musicale en général par rapport à ce que tu fais ?

— Je suis complètement « splité » dans le milieu de tout ça. Pour le moment je suis plus capable d'entendre de la musique Anglaise. Je trouve ça « Bubble Gum », au boutte. Je trouve que ça été tout fait à ce niveau là. Ça me manque ben gros d'entendre quelqu'un qui dit de quoi. Je suis tanné des « WHOO WHOO » tout bien faits, des belles harmonies, des beaux solos à la bonne place. C'est un peu débile. Surtout icitte, que le monde « catch » là dessus. Je peux pas chialer j'ai fait la même affaire.

Disons que je reprend un peu mes premières influences des années 60 quand j'étais chansonnier. Et ce, indépendament du spectacle que je fais dans le moment. Ce que je fais c'est comme une danseuse de ballet qui serait « pogné » pour danser dans un Club, pour un boutte pour pouvoir faire ce qu'elle veut.

EXERCICE VI.4

POUR/NEUTRE/CONTRE

Après avoir examiné le texte suivant tiré de l'*Anti-manuel de français*, de C. Duneton et J.-P. Pagliano (Éditions du Seuil, 1978, p. 108-109), choisissez, à votre tour, une ou deux photos que vous commenterez de trois façons différentes : pour, contre et neutre. Chaque commentaire contiendra une centaine de mots.

Dans son film *Lettre de Sibérie* (1957) Chris Marker[1] démontre comment, sur les mêmes images, trois commentaires différents changent la signification du « document » : pour, contre, neutre. A propos du troisième, théoriquement plus objectif, il note : « Mais l'objectivité non plus n'est pas juste. Elle ne déforme pas la réalité sibérienne, mais elle l'arrête, le temps d'un jugement, et par là elle la déforme quand même. Ce qui compte c'est l'élan, et la diversité. »

1. Chris Marker, *Lettre de Sibérie* dans *Commentaires I*, Ed. du Seuil, 1961, p. 56-57.

Par exemple : Iakoutsk, capitale de la République socialiste soviétique de Yakoutie, est une ville moderne, où les confortables autobus mis à la disposition de la population croisent sans cesse les puissantes Zym, triomphe de l'automobile soviétique. Dans la joyeuse émulation du travail socialiste, les heureux ouvriers soviétiques, parmi lesquels nous voyons passer un pittoresque représentant des contrées boréales, s'appliquent à faire de la Yakoutie un pays où il fait bon vivre!

Ou bien : Iakoutsk, à la sinistre réputation, est une ville sombre, où tandis que la population s'entasse péniblement dans des autobus rouge sang, les puissants du régime affichent insolemment le luxe de leurs Zym, d'ailleurs coûteuses et inconfortables. Dans la posture des esclaves, les malheureux ouvriers soviétiques, parmi lesquels nous voyons passer un inquiétant asiate, s'appliquent à un travail bien symbolique : le nivellement par le bas!

Ou simplement : A Iakoutsk, où les maisons modernes gagnent petit à petit sur les vieux quartiers sombres, un autobus moins bondé que ceux de Paris aux heures d'affluence, croise une Zym, excellente voiture que sa rareté réserve aux services publics. Avec courage et ténacité, et dans des conditions très dures, les ouvriers soviétiques, parmi lesquels nous voyons passer un Yakoute affligé de strabisme, s'appliquent à embellir leur ville, qui en a besoin...

N. B. : Une musique joviale et pimpante accompagne le commentaire pro-soviétique, une musique dramatique et inquiétante le commentaire anti-soviétique. Pas de musique, seulement les bruits de la rue pour la troisième variation (tentative d'objectivité).

EXERCICE VI.5

TEXTE À COMPLÉTER (1)

Retrouvez les mots manquants :

Madame le numéro un

L'Islande, __________ lointaine où l'on __________ les légendes, va pouvoir en __________ une à sa collection séculaire : celle de Vigdis Finnbogadottir, la première femme de la planète à être __________ comme chef d'État par le __________ direct de ses concitoyens.

Blonde, 50 ans, et en __________ dix de moins, Vigdis, qui parle cinq __________ étrangères, n'avait jusqu'ici __________ passé politique. Fille de professeurs, étudiante modèle à Grenoble et à la Sorbonne, elle __________ enseigné le français à la télévision de son pays avant de __________ la direction du théâtre de Reykjavik __________ ses qualités d'administrateur ont fait __________ . Elle n'aurait pas songé à __________ la magistrature suprême si, l'hiver dernier, elle n'y avait été __________ par un groupe d'amis, masculins pour la __________ . Elle s'est alors __________ dans une bataille épique où ses trois __________ — dont Gudmunsson, ancien footballer de l'équipe de Nantes — ne lui ont pas __________ les coups bas.

Perfides, ils l'ont __________ de communisme en __________ de vieilles photos la montrant — péché de jeunesse — dans une manifestation __________ la base américaine de Keflavik.

« Idéologiquement, je suis rose », a-t-elle expliqué avec une __________ candide. Patelins, ses adversaires ont __________ alors qu'ils trouvaient __________ qu'une femme seule, divorcée depuis vingt ans, __________ des fonctions dans lesquelles sa situation familiale risquait d'être incompatible avec le protocole... Aucune crainte de ce côté, a __________ la nouvelle Présidente en s'installant à Bessastadir, l'Élysée islandais : puisque le __________ exige que le conjoint du chef de l'État soit assis en face de lui au __________ des réceptions, Vigdis a décidé de donner ses galas autour d'une table ronde.

D'après *Le Point*, 07/07/80.

EXERCICE VI.6

TEXTE À COMPLÉTER (2)

Les pluies acides

La guerre chimique spontanée __________ les pays industrialisés depuis __________ années. Dans le plus __________ secret, trente experts se sont __________ la semaine dernière à Washington __________ en étudier les effets, __________ la direction de l'Agence __________ la protection de l'environnement. Ils ont aussi __________ comment lutter __________ les millions de tonnes de soufre qui __________ au-dessus de nos __________ et risquent de se __________ en pluies acides. Le __________ est tel que certains __________ qu'il s'agit de l'__________ des deux plus graves __________ de cette décennie — avec les __________ de gaz carbonique.

Le __________ est détonant. Depuis dix __________, en Amérique du Nord __________ dans la plupart des __________ européens, l'acidité des pluies a __________ de manière foudroyante. En 1974, en Écosse, ______ __________, des pluies se sont __________ aussi acides que du vinaigre! __________: l'acidité des lacs est __________. La quantité de plancton __________ dangereusement. Toute la chaîne __________ en est bouleversée. Les poissons __________. Ils ont du __________ à se renouveler. __________: des experts viennent de __________ que le mercure __________ dans les sédiments sous-marins se __________, sous l'effet de ce cocktail acide, en une __________ toxique — le méthylmercure — que les poissons __________.

Ces spécialistes sont __________: ces pluies sont déjà __________ de la destruction massive de milliers de poissons dans des lacs du nord du Canada, des États-Unis et de Scandinavie. Certains n'__________ plus à le dire : elles sont à l'__________ de la baisse du __________ de harengs en mer du Nord. Des scientifiques scandinaves affirment, __________, qu'elles ont déjà __________ quinze pour cent de __________ sèches dans la production du bois. Corrosives, ces précipitations __________ pierres et monuments : le Parthénon ______ Athènes et le Colisée ______ Rome en sont des __________. Tout comme les organismes __________, dont la santé est __________ par cette pollution irritante.

D'après *Le Point*, 21/04/1980.

EXERCICE VI.7

TEXTE À COMPLÉTER (3)

Les Lapons s'opposent à la construction d'un barrage hydro-électrique dans le Nord

Le gouvernement norvégien a décidé, le 15 octobre, de ___________ les travaux commencés en juillet pour la construction d'une centrale hydro-électrique sur la rivière Alta, dans l'extrême nord de la Norvège. Les Lapons — seule ___________ ethnique du pays — estiment que la construction du ___________ porterait ___________ à leurs intérêts économiques traditionnels.

Ce ___________ avait déjà été adopté par l'Assemblée nationale, mais de ___________ pressions ont été ___________ sur le gouvernement pour qu'il ___________ sa position. Des manifestants venus de tous les pays ont ___________ un camp permanent à Alta pour empêcher la ___________ des travaux. Leur ___________ est soutenue par les organisations écologistes et les partis de gauche. La situation s'est ___________ lorsque sept Lapons ont ___________ une grève de la faim devant l'Assemblée nationale — le Storting — en plein centre d'Oslo.

Alta, qui est une des rivières européennes les plus ___________ en saumons, traverse des terrains très importants pour ___________ des rennes, activité essentielle des Lapons. Ceux-ci estiment défendre ce qu'ils ___________ pour leurs droits légitimes, ___________ celui d'exploiter ces terrains et ces eaux. Mais la population du Finnmark et la municipalité d'Alta sont très ___________ sur cette question. ___________, l'une des trois organisations nationales des Lapons soutient la construction du barrage d'Alta. Le Finnmark manque d'énergie, la construction du barrage elle-même ___________ une centaine d'emplois dans ce département qui est le plus pauvre du pays.

Le projet de construction d'une centrale hydro-électrique à Alta a été ___________ plusieurs fois depuis le début des années 70. Le projet qui a été finalement retenu et ___________ par le Storting en novembre 1978 — ___________ aux voix des travaillistes et des conservateurs — était beaucoup plus modeste que le premier : c'était un ___________ qui visait à réduire les effets négatifs sur l'environnement. La décision du gouvernement de suspendre les travaux pour ___________ de nouvelles négociations avec les Lapons est d'autant plus surprenante qu'une grande majorité du Storting a déjà ___________, en juin dernier, une telle suggestion.

« C'est la nécessité de tenir compte des droits légitimes des Lapons et de résoudre leurs problèmes particuliers, sans conflit déchirant, qui a __________ lourd sur la décision du gouvernement », a déclaré le premier ministre, M. Odvar Nordli. Les trois partis du centre avaient réclamé, lundi 15 octobre, une suspension des travaux et un nouveau débat au Parlement, dans une déclaration commune. Leur position était __________ par trois évêques de l'Église norvégienne, plusieurs professeurs et écrivains. ______ __________, des députés conservateurs ont critiqué la décision gouvernementale, craignant qu'elle ne constitue un précédent __________ et que le gouvernement ne soit par la suite __________ à céder sous la __________ de groupes minoritaires.

______ ______ __________, le gouvernement indique que la suspension des travaux n'est que temporaire et que c'est au Storting de décider de la __________ et de l'achèvement du projet. __________, cet arrêt temporaire a été suffisant pour que les sept Lapons mettent un __________ à leur grève de la faim. Mais les organisateurs de manifestations permanentes à Alta attendront d'autres __________ du gouvernement avant de mettre fin à leur action.

D'après Steinar Mœ, *Le Monde*, 25/10/1979.

BIBLIOGRAPHIE

AUDRY, Marguerite et J. ROUMAGNAC, *Précis de rédaction de rapports, comptes rendus, procès verbaux, notes et instructions*, Paris, Foucher, 1969.

ARÉNILLA-BÉROS, Aline, *Améliorez votre style*, Tome 1, Paris, Hatier, « Profil formation », 1978.

______, *Améliorez votre style*, Tome 2, Paris, Hatier, « Profil formation », 1983.

BAILLY, René, *Dictionnaire des synonymes de la langue française*, Paris, Larousse, 1971.

BALLY, Charles, *Le Langage et la Vie*, Genève, Librairie Droz, 1935 (3e éd.).

______, *Traité de stylistique française*, 2 vol., Genève, Librairie de l'Université Georg et Cie S.A., vol. I, 1970 (5e éd.), vol. II, 1963 (4e éd.).

BARIL, Denis et Jean GUILLET, *Techniques de l'expression*, Paris, Sirey, 1978, 2 vol.

BÉNAC, Henri, *Dictionnaire des synonymes*, Paris, Hachette, 1971.

BONNARD, Henri, *Procédés annexes d'expression*, Paris, Magnard, 1981.

BRUNOT, Ferdinand, *La Pensée et la Langue*, Paris, Masson, 1936 (3e éd.).

CATHERINE, Robert, *Le Style administratif*, Paris, Albin Michel, 1969.

CELLARD, Jacques, *Le subjonctif : comment l'écrire ? quand l'employer ?* Paris-Gembloux, Duculot, 1983 (3e éd.).

CHAFFURIN, Louis, *Le parfait secrétaire ; correspondance usuelle, commerciale et d'affaires*, Paris, Larousse, 1973.

CLAS, André, *Guide de la correspondance administrative et commerciale*, Montréal, McGraw-Hill, 1980.

COLIGNON, Jean-Pierre et Pierre-Valentin BERTHIER, *La Pratique du style — simplicité, précision, harmonie*, Paris, Duculot, « Votre boîte à outils de la langue française », 1984 (2e éd.).

COURAULT, M., *Manuel pratique de l'art d'écrire*, Paris, Hachette, 1956, 2 vol.

CRESSOT, Marcel, *Le Style et ses techniques*, Paris, P.U.F., 1971.

DATAIN, Jean, *L'art d'écrire et le style des administrations*, Paris, Lavauzelle, 1970.

DE BLOIS, C. Grégoire, *Nouveau Dictionnaire de la correspondance*, Verdun (Québec), Marcel Broquet, 1979.

DESONAY, Fernand, *Le rapport. Comment l'élaborer, comment le rédiger*, Paris, Bordas, 1949.

DESRUISSEAUX, Pierre, *Le Livre des expressions québécoises*, Montréal, édit. Hurtubise, 1979.

DESSAUX, Pierre, *Rapports et comptes rendus*, Paris, Éditions Hommes et techniques, 1970 (5e éd.).

DULIÈRE, André, *Pour mieux écrire*, Paris, Sodi, 1970.

DU MARSAIS, César Chesneau, Sieur, *Le traité des tropes*, Paris, Nouveau Commerce, 1977 [1757].

DUNETON, Claude, *La Puce à l'oreille. Anthologie des expressions populaires avec leur origine*, Paris, Stock, 1978.

DUNETON, Claude et Jean-Pierre PAGLIANO, *Anti-manuel de français*, Paris, Éditions du Seuil, 1978.

DUPRÉ, P., *Encyclopédie du bon français dans l'usage contemporain : difficultés, subtilités, complexités, singularités*, Paris, Éditions de Trévise, 1972.

ETERSTEIN et LESOT, *Pratique du français. Analyse de textes. Techniques d'expression*, Paris, Hatier, 1986.

FABRE-LUCE, Alfred, *Les mots qui bougent*, Paris, Fayard, 1970.

GANDOUIN, *Correspondance et rédaction administratives*, Paris, Colin, 1970.

GAUBERT, Gaston, *Comment rédiger les documents professionnels*, Paris, Eyrolles, 1974.

GENOUVRIER, Émile, Claude DÉSIRAT et Tristan HORDÉ, *Nouveau Dictionnaire des synonymes*, Paris, Larousse, 1977.

GEORGIN, René, *Guide de langue française*, Paris, Éditions André Bonne, 1952.

———, *L'Inflation du style*, Paris, Éditions sociales françaises, 1963.

———, *La Langue de l'administration et des affaires*, Paris, Éditions sociales françaises, 1963.

———, *Consultations de grammaire, de vocabulaire et de style*, (Thérapeutique familière du langage quotidien), Paris, ESF, 1964.

———, *Problèmes quotidiens du langage*, Paris, Éditions sociales françaises, 1966.

———, *Les Secrets du style*, Paris, ESF, 1968.

———, *La Prose d'aujourd'hui*, Paris, ESF, 1973.

GILBERT, Pierre, *Dictionnaire des mots nouveaux*, Paris, Hachette-Tchou, 1971.

———, *Dictionnaire des mots contemporains*, Paris, éditions Robert, « les usuels du Robert », 1980.

GIRAUD, Jean, Pierre PAMART et Jean RIVERAIN, *Les Mots « dans le vent »*, Paris, Larousse, 1971.

———, *Les Nouveaux Mots « dans le vent »*, Paris, Larousse, 1974.

GIRODET, Jean, *Dictionnaire du bon français*, Paris, Bordas, 1981.

GODAERT, Paul, *Rédiger dans les affaires : bon sens, correction, efficacité*, Bruxelles, Vander Nauwelaerts, 1975.

GRANDJOUAN, Jacques Olivier, *Les Linguicides*, Paris, Didier, 1971.

GREVISSE, Maurice, *Le Bon Usage*, Paris-Gembloux, Éditions Duculot, 1980 (11e éd.).

GUIRAUD, Pierre, *L'argot*, Paris, PUF, « Que sais-je ? », 1969 [1956].

———, *Le français populaire*, Paris, PUF, « Que sais-je ? », 1965.

———, *Les locutions françaises*, Paris, PUF, « Que sais-je ? », 1967.

———, *Les mots savants*, Paris, PUF, « Que sais-je ? » 1968.

———, *Les mots étrangers*, Paris, PUF, « Que sais-je ? », 1971.

HANSE, Joseph, *Nouveau Dictionnaire des difficultés du français moderne*, Paris-Gembloux, Duculot, 1983.

LAVIGNE, Chantal, *Les Difficultés du français*, Paris, Retz, 1980.

LE BIDOIS, Robert, *Les mots trompeurs ou le délire verbal*, Paris, Hachette, 1970.

LEGRAND, E., *Méthode de stylistique française*, Paris, J. de Gigord, 1970.

LÉONARD, Lucien, *Savoir rédiger. Les voies de l'expression française*, 1. Livre d'étude ; 2. Exercices et corrigés, Paris, Bordas, 1978.

MAROUZEAU, J., *Précis de stylistique française*, Paris, Masson et cie, 1969.

MARRET, Annick, Renée SIMONET et Jacques SALZER, *Écrire pour agir*, Paris, Les éditions d'organisation, 1984.

NIQUET, Gilberte, *Écrire avec logique et clarté*, Paris, Hatier, « Profil formation », 1983.

QUENEAU, Raymond, *Exercices de style*, Paris, Gallimard, 1947.

RAT, Maurice, *Dictionnaire des locutions françaises*, Paris, Larousse, 1957.

REBOUL, Olivier, *La rhétorique*, Paris, P.U.F., « Que sais-je ? », 1984.

REY, Alain et Sophie CHANTREAU, *Dictionnaire des expressions et locutions*, Paris, éditions Robert, « les usuels du Robert », 1987.

RICHAUDEAU, François, *L'Écriture efficace*, Collection Savoir communiquer, Paris, Retz, 1978.

ROGIVUE, Ernest, *Le musée des gallicismes*, Genève, Librairie de l'Université Georg et Cie S.A., 1978 [1965].

RONDEAU, Guy, *Éléments de stylistique du français écrit*, Montréal, Les Presses de l'Université de Montréal, 1964.

SAINDERICHIN, Sven, *Écrire en bon français ... pourquoi pas ?*, Paris, Éditions Hommes et Techniques, 1961.

______, *Écrire pour être lu*, Paris, Entreprise moderne d'édition, 1976.

SAUVAGEOT, Aurélien, *Français écrit, français parlé*, Paris, Larousse, 1962.

______, *Portrait du vocabulaire français*, Paris, Larousse, 1964.

SPREUTELS, Marcel, *Dictionnaire des styles et usages administratifs officiels et privés*, Bruxelles, Seghers, 1967.

STORME, Françoise, *Le français des affaires*, Montréal — Toronto, Guérin, 1988 (2e éd.).

SUHAMY, Henri, *Les figures de style*, Paris, P.U.F., « Que sais-je ? », 1981.

VANOYE, Francis, *Expression Communication*, Paris, Colin, Coll. U., 1973.